専門家の大罪

ウソの情報が蔓延する日本の病巣

池田清彦
Kiyohiko Ikeda

はじめに

政治や経済、そして新型コロナウイルス感染症や地球温暖化について私がＳＮＳなどで発信すると、「専門家じゃないから信用できない」とか、「専門家でもないくせに勝手なことを言うな」とか、「お前みたいな素人は一切口出しするな」と言わんばかりのリプライがくることがあって呆れてしまう。

確かに私はこれらの分野に関して「専門家」という肩書はもっていない。

しかし今では、パソコンとネット環境さえあれば、大概のことは調べられることくらい誰だって知っているはずだ。その気になれば勉強を怠っている「専門家」よりも、その分野に詳しくなることだって不可能ではない。

そもそも「専門家」とは誰かということ自体、実はかなりあいまいである。

言葉の意味としては、「ある学問分野や事柄などを専門に研究・担当し、それに精通している人」（広辞苑）を指すが、現代ではそれだけで「専門家」と呼んでもらうのは難しい。大学や大学院で、ある専門分野の学位(通常は博士)を取得し、大学や研究所にその学位を生かした職を得て、それで給料をもらっている人、あるいはかつてそうだった人あたりが、「専門家」と呼ばれているようだ。

ただし、その分野に「精通している」としても、今や学問はものすごく細分化されていて、狭く深く研究する傾向があるので、自分が研究している分野から少し外れてしまえば、そこでの最先端の研究について知ることはほとんど困難なのが普通である。私は動物生態学の分野で学位を取っているし、進化理論とか生物多様性や分類理論に関しては確かに専門家と言えなくもないのだけれど、同じ生物学でも、例えば植物生理学になると、わかるのは大まかな枠組みや原理くらいで、深く知っているわけではない。もっと言えば、生物学全体で見わたせば知らないことのほうがはるかに多い。

それでも世の中の人たちは、かなり大雑把なくくりで専門家をイメージするようで、私も「生物学の専門家」と呼ばれたりする。そのおかげで、生物学と呼べる範囲のことであれば、たとえ生半可な知識で発言したとしても、「お前は専門家じゃないだろう」などと文句を言われることはあまりない。なんとも不思議な話なのだけれど、これが「専門家」の現実だ。

とりわけ理系の領域だと、最先端の話を聞いても一般の人にはまったく理解できないことも多いから、おおまかなことを知っていて、それをうまく翻訳してくれるような、まあ言ってみれば浅くても広い知識をもつ〝準専門家〟のような人のほうが重宝される。

極端なことを言えば、大筋で間違っているわけではないというレベルの話をしているだけでも、専門家として通用するわけだ。


新型コロナウイルス感染症のパンデミック以来、連日テレビに出てワクチンの必要性を力説している「専門家」たちも、そのほとんどは、「感染症学の専門家」である。友人で医師の近藤誠によれば、彼らが詳しいのはあくまでも「どの細菌感染に、どういう抗菌薬を使うか」といった問題なのだそうだ。

つまり、ワクチンの問題というのは、もちろんまったく知らないわけではないにせよ、決してその分野に特化した専門家ではない。それでも、誰も違和感をもつことがないのは、マスコミが彼らを「専門家」として扱っているからだ。

逆に、その分野に特化した、いわば真の専門家の意見が、驚くほど雑に扱われたり、ひどいときには無視されたりすることもある。

2022年4月19日付朝日新聞の記事によると、東京都千代田区が街路樹伐採を行うに際し、区議会から学識経験者の意見を聞くよう求められた区の担当者は、街路樹の専門家4人に意見を聞いたが、そのうちの一人が「保存が最優先だ」と述べていたにもかかわらず、区が作成した文書には、この専門家が保存と伐採を同等に評価しているかのように書かれていたという。この人は、千葉大学の藤井英二郎名誉教授で、環境植栽学が専門だというから、この分野のまごうことなき専門家なのだ。

つまり、権力やマスコミが必要としているのは、専門家が提供する最先端の知見などではなく、行政に都合がいい情報の「権威づけ」なのである。だから、意見を聞くのはとりあえず「専門家」と呼べる人物であればそれで十分だし、自分たちの主張を貫くためなら、そうやって呼んできた専門家の発言さえも、都合よく切ったり貼ったりする。

そしてそのからくりに気づかない世の中の人たちは、「専門家がそう言ってるのだから間違いない」と思い込み、すっかり騙されてしまうのだ。

また、新型コロナウイルス感染症への対応とか、地球温暖化の実態といった、学問体系がいまだ定まっていない分野においては、専門家であってもしばしば間違える。それは仕方のないことだとしても、間違いだとわかったあとも、それが訂正されることなく、そのまま踏襲されてしまうケースが驚くほど多い。間違いを訂正しないのが単に専門家のプライドの問題だけならまだマシなのだが、専門家の意見というものが、権力の意向を反映すべくつまみ食いされているようなケースでは、もっと深刻でややこしい問題を孕むことになる。

今や純粋に学問を追究するような専門家というのはまれな存在で、たいていの人が職業として専門家をやっている。そういう人たちは何らかの利害関係の中にいるわけで、それは、本当のことを言うことで自分が大損する可能性のあることを意味している。「間違い」を前提に何らかのシステムが立ち上がり、そのような空気が出来上がってしまった場合、専門家としてそれが間違いだということがわかっていても、のらりくらりとその流れに乗っておくのが明らかに安全なのだ。余計なことを言わずに、世の中のムードに素直に賛同しておくほうがマスコミにだってたくさん出られるし、世間のムードに乗じて儲けようとする企業や政府から金をもらえるしで、絶対に得なのである。

1953年に公布された「らい予防法」は、1996年に廃止されるまでなんと43年もの年月を要し、結果として多くのハンセン病患者への差別を助長し、当事者とその家族たちに大きな苦しみを味わわせることになった。

ハンセン病の「専門家」の多くは、この法律に医学的な根拠がないことに早い段階から気づいていたはずだ。しかし、「予防法」の存在のおかげで自分の仕事が成り立っているとすれば、たとえ「専門家」であったとしても、その事実を口にしないほうが安全だったのだ。実際、ハンセン病患者を受け入れていた国立療養所の元医師は、「予防法を積極的になくそうとしなかったのは、自分の仕事に安住していたからだ」

と悔恨の言葉を口にしていた。その元医師はまた、「(法律と闘う) 勇気がなかった」とも述べている。

このように書くと、専門家自身が自らの姿勢を改めさえすれば、さまざまな問題が解決するかのような印象をもたれてしまうかもしれないが、ことはそう単純ではない。

なぜかといえば、専門家たちを取りまく環境が、時の政権をはじめとする大きな権力に逆らえないような方向、あるいは逆らわないほうが得な方向にどんどん傾いており、彼らはさまざまなしがらみのもとで生きているからだ。専門家を養成するシステム自体が、権力に迎合するようになっていることも、事態を硬直化させる原因だ。要するに、現代の専門家はニュートラルな立場から発言するのが難しい状況に陥っているのである。

そういう意味では彼らも被害者であるとも言えるが、その肩書を信じ込み、不利益を被っている人も少なからずいる以上、決してその罪が軽いとは言えない。

私も一応、「専門家」のはしくれではあるけれど、利権に関係するような研究はしてこなかったし、面倒だから学会などにもほとんど参加してこなかった。そういう不真面目な研究者ではあったけれども、そのおかげで今も昔も、自分の信念を曲げずにあちこちで好き勝手に発言している。テレビで発言したことは放送されないことも多いけれどね。

この本では、専門家だからこそ言えないようなことを、その分野の文献や客観的なデータを踏まえながら、専門外の私の立場から好きに言わせてもらおうと思う。「専門家じゃないからこそ信用できる」ということもあることに多くの人に気づいていただけたら幸いである。

目次

第2章

否定する専門家を無視して脱炭素に勤しむ不思議な世の中……41

第3章 政治権力に迎合する専門家たち

第5章 真っ当な専門家がいなくなるこの国の病

第1章

専門家という肩書の利用価値

「街頭インタビュー」と「専門家」の重みのちがい

ＮＨＫのニュースで流れた映像に対し、青山学院大学の袴田茂樹名誉教授が疑問を呈しているという記事を読んだ。

その映像はロシアのウクライナ侵攻による戦禍を逃れて来日している女性が、ウクライナ語と思われる言葉でインタビューに答えているもので、「今は大変だけど平和になるよう祈ってる」という字幕がつけられていたのだという。

ところが、ロシアやウクライナ情勢の専門家である袴田教授の話だと、女性が話していたのは南方アクセントのロシア語とウクライナ語のミックスで、その言葉を直訳すると「私たちの勝利を願います。勝利を。ウクライナに栄光あれ」ということになるらしい。

外国語を、そのニュアンスを含めて正確に翻訳するのは難しいが、さすがにこれは意図的な改ざんだと言ってよい。

ＮＨＫとしてはおそらく、この女性に「平和の大切さ」を訴えてもらいたかったのだろう。しかし、この女性が願っているのはあくまでも「ウクライナの勝利」なのである。「ウクライナ＝善、ロシア＝悪」という前提に立てば、「ウクライナの勝利＝平和」は成り立つのだろうし、私だってプーチンが正しいことをしているなんてこれっぽっちも思っちゃいないが、それは一つの見方であって、事実をねじ曲げることの言い訳にはならないはずだ。

街頭インタビューなんかの場合は、自分たちに都合のいいような意見だけを取り上げれば、世の中の人みんながそう考えているような印象を視聴者に植え付けることも難しくはない。

とはいえ、さすがに見ているほうもバカじゃない。先ほどのウクライナ女性にしろ、街頭インタビューにしろ、市井の人の言っていることなら、「自分はその考えには賛成できない」とか、「その考えはおかしいのではないか」というふうに、反論する人はたくさんいる。たまたまテレビカメラにつかまっただけの素人が言っていることなのだから、それが正しいという保証などないことくらい誰だってわかるだろう。

ところが、「専門家」という肩書をもった人たちが出てきた場合には事情はかなり変わってくる。

例えば、「新型コロナウイルスの3回目ワクチンを打ちますか?」みたいな質問に対する街の人の意見を聞いて、「打ちたい」と言う人と「打ちたくない」と言う人が半々だったとしても、スタジオでその映像を見ていた専門家が「3回目のワクチンは打つべきです」と言えば、もうそれが結論になってしまう。

つまり、望みの結論に確実に導いてくれる専門家を呼んでおけば、思いどおりの結論が出せるわけだ。ある番組に「おなじみの専門家」がいるとすれば、それは番組の思惑とその専門家の意見に乖離がない証拠なのである。

ねつ造してでも使いたい「専門家の言葉」

生放送の番組でなければ、「編集」という名のもとに専門家の意見をコントロールすることも簡単だ。

ある専門家が「高齢者の場合は、やはり3回目も打ったほうがいいですね」という話をしたとしても、「高齢者の場合は」というところを切り取って、「やはり3回目も打ったほうがいいですね」という部分だけを放送すれば、違うメッセージを伝えることができる。それが日常茶飯事だとまでは言わないが、ニュースというのは、そういう恣意的な操作ができるのだということを忘れてはいけない。

もちろんこれはニュース番組だけの問題ではない。アナログ情報というのは伝わっていく途中で変化するからだ。人から人への伝言ゲームだって、伝える人の意識でいくらだって変わっていく。受け手によって、情報の読み方も違ってくる。だから専門家の発言が、本人が思ってもみなかった方向にいつの間にか転がっていくことは珍しいことではない。

アメリカでは、「神による天地創造によって宇宙や生命が誕生した」とする「創造論」派と、ダーウィンが提唱した「進化論」派の対立は今も続いていて、保守的な共和党支持者に限っていえば、「創造論」派のほうが圧倒的に多く、2019年の時点でも7割くらいを占めると言われている。

この論争は宗教問題が絡んでいるため、日本人にはにわかに信じがたいくらいに今も激しくやり合っているのだ。

そんななかで、「世界的に有名な生物学者だって、生物は神様が創ったと言っている」と発言した創造論者がいたのだが、実はその生物学者の実際の発言は、「生物は神様が創ったという意見があるけれども、今ではそれは完全に否定されている」ということだった。確かに「生物は神様が創った」とは言ったけれども、その後の発言をカットすれば、これはもう真逆の話になってしまう。

こういう話は日本でもあちこちに見られるけれど、つまりそれは、ねつ造してでも使いたいくらいに「専門家の発言」というものの利用価値が高いということの表れなのだ。

専門家の意見を封殺して開催された東京オリンピック

「専門家の発言」をうまく利用しながら、時の権力が影響力の大きいマスコミを利用して大々的に宣伝すれば、何が正しくて何が正しくないかなんて、本当にそのことをわかっている専門家以外にはよくわからなくなり、だから結局みんなが騙されてしまう。大衆が右と言えば右だし、左と言えば左になるのが民主主義の世の中だけど、大衆を右に向かせるのも左に向かせるのも、マスコミに世論を操作させればなんとでもなるわけだ。

もちろん、同じ分野の専門家でも考えが同じだとは限らないし、自分たちにとって都合がいい結論とは正反対の意見の専門家だっているはずだ。でも、そんな専門家の意見が取り上げられることは滅多にない。つまり、いつも表に出てくるのは、自分たちが欲しい結論にうまくもっていってくれる専門家なのである。ある特定の情報のみを流し、それを多くの人が信じてしまうのなら、結果的にはウソをついているのと何も変わらないではないか。

しかも呆れてしまうのは、多くの専門家が自分たちにとって都合の悪いことを言い始めると、いきなり無視を決め込んでくることだ。

その顕著な例が東京オリンピック・パラリンピックだと思う。当初予定されていた2020年から2021年に延期される原因にもなった新型コロナウイルス感染症のパンデミックに際し、政府はベテランの感染症専門家を何人か含む「新型コロナウイルス感染症対策分科会」を立ち上げて、緊急事態宣言やまん延防止措置の実施の判断に関してはその意向を最大限に尊重していた。

まあ、簡単にいえばほぼ丸投げに近いことをやって、「専門家の意見」を国民に我慢を強いるための材料にし、国民を説得する役割は分科会の尾身茂会長にすべてお任せのような状況だった。その是非はともかくとして、分科会の意向＝政府の意向みたいな時期があったのは間違いない。

ところが、政府としては何がなんでも実現させたい東京オリンピック・パラリンピックの延期開催に対して分科会が否定的な意見を表明し始めると、その態度が一変した。尾身会長自らも、「パンデミックの中での開催は普通でない」という趣旨の発言をしたが、これに対して、田村憲久厚生労働相（当時）が「政府としては分科会の正式な提言と認めない方針」などと言いだしたのだ。

欲しかったのは「東京オリンピック・パラリンピックと感染症対策の両立は可能」という言辞だったのだろうが、感染者が増え続ける状況のなかでそれを期待するのはさすがに無理な話だと諦めたのか、丸川珠代五輪相（当時）は「われわれはスポーツの持つ力を信じて今までやってきた。まったく別の地平から見てきた言葉をそのまま言ってもなかなか通じづらいと実感する」などと発言し、今度は「スポーツの持つ力」とやらで国民を丸め込むことにしたようだ。

実際これと歩調を合わせるかのように、NHKなどが、選手がオリンピックのために必死に努力してきたことを伝える映像などを連日流し続ける露骨なキャンペーンを始めて、「東京オリンピック・パラリンピック開催」という既定路線を固めようという作戦に出た。

オリンピック開催による感染拡大で自分たちの健康までおびやかされかねない東京をはじめとする関東の人たちはかなり強硬に反対し続けていたけれども、ほかの地域に住む人たちにはそこまでの危機感はなかったせいで、日本全体としては徐々にその風になびいていった。この国で「権力に反対する」のは、ものすごいエネルギーを要することなので、よほどのデメリットがない限り、つまり、どっちでもいいことに関しては、だいたいの人は「賛成」なのだ。

かくして緊急事態宣言下にもかかわらず、東京オリンピック・パラリンピックは政府の思惑どおりに強行されたのである。

アリバイづくりのために開かれる審議会や有識者会議

詳しい理由については第3章に書くけれども、理系の専門家、すなわち科学者がいつも「科学的事実のみ」を語っているというのは、今やはっきりいって幻想だ。しかし、行政や大企業のような権力にとっては、世の中の人たちが抱き続けるそのような幻想はとても都合がいい。

しかも、現代の科学はどんどん高度化していて一般の人にはその細目はほとんど理解できず、したがって言説の当否を判断することもできない。だから専門家である科学者は、権力にとって最も使い勝手がいい存在なのである。

例えば森林を伐採するとか、河川の工事をするといった場合も、審議会みたいなものを立ち上げて、「これなら深刻な影響はない」というお墨付きを科学者からもらったりするわけだけど、その参加者を選定した時点で結果がだいたい見えているようなケースは多々ある。

自分たちのやりたいことと矛盾しないような「科学的事実」を発信してくれる専門家ばかりを最初から集めておけば、都合のいい結果を引き出すことなど簡単だ。

もちろんそれをあまりに露骨にやれば批判されるかもしれないが、反対意見を言ってくるような専門家を何人か交ぜておけば問題はない。反対勢力が多数派にならないようにあらかじめ調整しておけば、結論がひっくり返る心配もないだろう。

それくらいのことはいかにも行政がやりそうなことではあるが、現実はそのレベルにとどまらない。90％の専門家が反対意見を出したとしても、10％の賛成意見をことさらに強調して反対意見を完全に無視したり、本書の「はじめに」で紹介した東京・千代田区の例のように巧妙な操作をするケースすらあるくらいだ。最初から審議させるつもりなどなく、「審議をしましたよ」というアリバイづくりのために開かれている委員会や有識者会議というのは決して珍しくない。

道路を造るとかダムを造るといった大規模な開発事業の際の環境アセスメント（環

境影響評価）の過程でも、その方面の専門家の意見が求められるけれども、だいたいは事前に「調整」という名の根回しが行われているし、なかには〝事業計画をただ追認するだけという専門家〟もいるようで、計画に評価を「合わす」という皮肉を込めて、「アワスメント」と揶揄されることもある。

それで最終的に何か問題が起きたときには、専門家の意見に従ったまでだと言って、行政のほうは責任逃れをするわけだ。

圏央道の建設には反対したが〝無視〟された

私も生態学の「専門家」として意見を求められることがあり、例えばこの河川の昆虫はこういうやり方で保護したほうがいいとか、このあたりには珍しい蝶がいるからできるだけここから離れたところでやったほうがいいとか提言したりするのだけど、常に絶対反対というわけではない。相手に忖度しているというわけではなく、すべての行為にはメリットとデメリットがあるからだ。

生態系とか生物多様性を守ることだけが目的なら、そもそも開発なんてしないに越したことはない。しかし、例えば目立たない昆虫の地域個体群を絶滅から救うために、多くの人たちが必要としている工事を諦めろというようなことはさすがにバカげている。

私は虫を愛してやまないが、一方で、人間というのは自然を利用したり、生態系を改変したりして生きている生物だということも知っている。だから開発を全否定するつもりはないし、虫を守ることによるメリットよりデメリットのほうが大きいことが明らかな場合は、たとえ生態学者であっても、まあ仕方がないと思うわけだ。

だからその辺のバランスを勘案し、せめてこっちは守ってくれとか、最低限これだけはやってくれみたいな、向こうが許容できるレベルの計画変更を提言するわけなのだけれど、必ずしもそのとおりになるとは限らない。

高尾山をトンネルで貫く圏央道の建設計画に対しては、私はずいぶん反対した。東京都内に残っている低地原生林はもう高尾山くらいしかないわけで、そこにトンネルを掘って高速道路を通すなどすれば、高尾山の生物相は大きな痛手を被る。これは自然生態系や生物多様性の悪しき改変以外の何物でもなく、生態学者としては看過できるものではなかったからだ。

ただ、それにしたって、圏央道の建設そのものに反対していたわけではない。少し迂回すれば高尾山を通ることなく圏央道を造ることはできるわけで、そっちのルートなら高尾山の自然生態系も生物多様性も改変されることはない。だから、圏央道を造るのならルートを変更してくれという話だったのだ。原告の一人として工事差し止めの裁判を起こしたが、結局、受け入れられることはなかったね。

実はもともと圏央道は、高尾山を通らないルートで計画されていた。しかしどうやら政治的な横槍でルートを変えるという決定をしたようなのだ。

行政は一度決定したことは、後で間違いだとわかってもまず変更しない。これを行政の「無謬性《むびょうせい》の原則」という。ここで言う「無謬」というのは「間違いを絶対に認めない」ということで、「理論・判断などに誤りがない」という本来の意味での無謬ではもちろんない。

「ダイオキシン問題」はなぜ起きた？

そのきっかけをつくるのが必ずしも専門家であるとは限らないが、「間違い」を前提にした空気がいつの間にか醸成されるということはよくあり、そうなると、いろいろと厄介な問題が起きてくる。

まず一つは、マスコミなどの情報を伝える側が、その前提と矛盾しないような情報を選択して、前提の通りに伝えるようになる。もっとはっきり言えば、前提に合わせるために、事実をねじ曲げて伝えるようになるということだ。

そこで思い出されるのは、私があちこちで書いてきたダイオキシンに関する問題だ。

1999年の2月、テレビ朝日の『ニュースステーション』に出演した、総合環境研究所の所長である青山貞一という人が、研究所が独自に測定したデータをもとに、「所沢産のホウレンソウから高濃度のダイオキシンが検出された」かのような発言をした。番組も畑の近くにある廃棄物の焼却炉が大量のダイオキシンを出していると思わせるような映像を流したり、青山所長の発言を裏付けるようなフリップを示したりしたため、「廃棄物の焼却炉から出たダイオキシンで所沢のホウレンソウが汚染されている」という騒ぎになって不買運動が起き、農家の人たちが大損害を受けてしまった。

ところがその後、この報道が実はインチキであったことが明らかになり、風評被害を被った所沢市の農家から告訴されたテレビ朝日は、一千万円の和解金を支払っている。

実は『ニュースステーション』の報道以前から、世の中には「ダイオキシン類の発生源は主に廃棄物の焼却炉」だという空気が醸成されていて、テレビ朝日はほかの報道番組でも、「ダイオキシンは最悪の危険物質である」という前提のもと、所沢市の産業廃棄物処理場とダイオキシン汚染を結びつける報道を繰り返していた。また、1998年には「ダイオキシン・環境ホルモン対策国民会議」なる組織もつくられていて、ダイオキシン対策が立法化されるムードはすでに漂っていたのである。

そのような世の中の空気に背中を押され、意図的なのか無意識なのかは知らないが、実際には「データの最高値は煎茶であり、ホウレンソウに含まれるダイオキシン量は

1グラム中最高0・75ピコグラムであった」というデータを、産業廃棄物処理場から大量のダイオキシンが出ているかのような印象操作をしながら、完全にねじ曲げて伝えていたのである。

ダイオキシン法を推進したのは利権がらみの専門家

『ニュースステーション』のおかげで、世の中のダイオキシンに対する社会的関心は一段と高まり、いわゆるダイオキシン法（ダイオキシン類対策特別措置法）が1999年7月12日に成立し、2000年1月15日に施行された。

この法律を後ろ盾に、ダイオキシン汚染の元凶とされた野外や簡易な焼却炉でのゴミの焼却は禁止になった。家庭や学校の焼却炉で、庭のゴミや紙のゴミを燃やすことさえできなくなったのだ。

その代わりに、高温でゴミを燃やすことでダイオキシンの排出を抑えるというハイテクの高級焼却炉が住宅地から遠く離れた山中などに、巨費を投じて建設された。

しかし結局、所沢市のホウレンソウのダイオキシン汚染はウソだったわけで、しかも、2000~2001年の環境省の調査では、焚火や簡易焼却炉で人体に有害なほどのダイオキシンが排出されることはないことも明らかになっている。それこそ環境科学の専門家からも、農薬工場の大規模な爆発事故のような特別のことが起きない限り、ダイオキシンは健康被害をもたらす物質ではないことを指摘する声も上がり始めた。それでも、不思議なことにダイオキシン法が廃止されることはなかったのだ。

結局、得をしたのは高級焼却炉を製造したメーカーと監督官庁の役人だろう。どこかの専門家とセンセーショナルな話題が大好きなマスコミを使って「ダイオキシンは危険だ」という世論をつくり、自分たちが儲かる法律を作らせたに違いない。実際、ダイオキシン法を推進した専門家は利権がらみの人が多く、ダイオキシン対策を記したガイドラインの手引書の執筆者の大半は焼却炉メーカーの人であった。

一度、立法化してしまえば、システムはずっと続くわけで、法律の根拠であったはずの科学的知見がデタラメだとわかっても、あとは知らんぷりして甘い汁を吸い続けることができるというわけだ。

「国民の健康を守る」に勝るものなし!?

そもそもダイオキシンが騒がれるようになったのは、測定技術が進歩してナノグラムよりさらに小さいピコグラム単位、つまりグラムの1兆分の1の重さまで検出できるようになったせいである。そう考えると、一連のダイオキシン騒動は精度の高い分析装置で商売をしようとしていた人たちの陰謀なのかもしれない。

確かにダイオキシン自体は猛毒だが、ごく微量であれば問題はない。事実、人間は誰でも一度呼吸をするたびにダイオキシンを吸い込んでいるし、食品からも摂取している。しかし、なんの問題にもならないのは、いずれも超微量だからだ。

病原菌だって、一定限度以上体に取り込まなければ病気になることはない。豆類の中には毒とされる青酸化合物が入っているものもあるが、健康被害を起こすことはない。つまり、どんなに恐ろしいものだって、体の中に入るのが微量なら別に怖がる必要などないのである。普通の生活をしている限り、ダイオキシンで死ぬことなどありえないし、健康被害も起こらない。

また、焼却起源のダイオキシンが食品に入る量はごくわずかなので、例の高級焼却炉を使って焼却炉から出るダイオキシンの量が10分の1になったとしても、その差はダイオキシンの総摂取量の1％にも満たない。そもそも総摂取量は超がつくほど微量なのだから、その差はないも同然だ。健康を守るという観点から見れば、その1％の差のために注ぎ込むコストはムダ以外の何物でもないだろう。

こういう話をすると、「どっちにしたってダイオキシンが毒であることには変わりはないのだから、排出量が少ないに越したことはないではないか」と反論してくる人が必ずいる。「排出量が少ないに越したことはない」というのは確かにそうだが、それは「生態系を守るためには開発など一切しないに越したことはない」というのと同じ言い分である。

焼却炉から排出されるダイオキシンを、高価なハイテクの焼却炉を使わなければ達成できないようなレベルの基準に設定しなくても、健康上の問題が起きないのであれば、そこで得られるメリットより、莫大な費用がかかるというデメリットのほうがはるかに大きい。

何がなんでも排出量を減らせという人は、おそらくCO_2の排出にも目を光らせているタイプの人だと思うので念のために言っておくと、山の中の高級焼却炉に車でゴミを運ぶためには相当のエネルギーを使うわけで、ダイオキシンの排出量をムダに減らすことで、嫌われ者のCO_2の排出は逆に増えると思うけどね。

例えばプールの水には必ず細菌が存在するが、少々の細菌を飲んだところで病気になる人はいない。「少ないに越したことはない」のは確かだろうが、だからといってそのために超ハイテクの浄化装置か何かをつけて、普通のプールに比べて細菌を100分の1にするとなると、当然それを導入したり、維持したりするコストは莫大になる。入場料を1万円にしないとやっていけなくなれば、お客さんは入らなくなり、民間のプールであれば間違いなく潰れるだろう。

唯一潰れない場合があるとすれば、それは法律で各自治体にこのような細菌の数を徹底的に減らすための装置の設置を公費を使って義務付けることだ。

「国民の健康を守る」という名目があればおそらく文句を言う国民は少ない。実際はこういった名目ほど胡散くさいものはないと私は思うのだけれど、いずれにしろその立派な名目を口実に、国民の税金が湯水のように浄化装置の会社やその管理を請け負う会社、そしてその監督官庁の役人のところに流れていくのは間違いない。

ダイオキシン法というのは、まさにこのたぐいの法律なのである。

結局、世の中の空気に合わせられる専門家が重宝される

話は戻るが、総合環境研究所が『ニュースステーション』に実際に持ち込んだデータでは、「ホウレンソウに含まれるダイオキシン量は1グラム中最高0・75ピコグラム」であった。

ヒトの半数致死量（動物が体重1キロあたりどれくらい摂取したら、摂取個体の半数が死ぬかを調べた量）がダイオキシンに最も弱いとされるモルモット並みだったと仮定して、体重50キロの人がどれくらいのホウレンソウを食べればその量に達するのかといえば、なんと40トンである。ホウレンソウを一日1キロ食べたとしても、1年で365キロ、100年生きたとしても36・5トンだ。しかも、そもそもの話が、人

体のダイオキシンの平均濃度は体重1グラムあたり4~6ピコグラムである。

つまり、食べられるホウレンソウより、食べる人間のダイオキシン濃度のほうがよほど高いのである。たったそれだけのことを番組が事前にちゃんと検証しさえすれば、あんな騒動を起こすことはなかったはずだ。

また、実は1960年から1970年代の末ごろまでの日本は焼却炉が出すよりも桁外れに多いダイオキシンをばら撒いていたことや、それは水田の除草剤として使われていたPCP(ペンタクロロフェノール)とCNP(クロロニトロフェン)のせいであることが、横浜国立大学の研究室(益永茂樹、桜井健郎、中西準子)によって明らかになっている。それらはすべて1999年の1月末までには発表済みだ。つまり、『ニュースステーション』は、こっちの専門家の意見には注目せず(もしくは無視して)「ダイオキシン類の発生源は主に廃棄物の焼却炉」だという空気に乗ることを優先した報道をしていたのである。なお、ダイオキシンについては渡辺正、林俊郎著『ダイオキシン—神話の終焉』(日本評論社)に詳しい。ぜひ、紐解いてほしい。

ある方向に吹き始めた風に乗り、論理よりも気分を優先するのがこの国のダメなところだが、そうした状況は今も変わっていない。どちらかといえば、むしろひどくなっているとさえ思う。

ひとたび世間の流行にさえなってしまえば、マスコミもその科学的な真偽を積極的に確かめようとはしないから、その流行に乗っておくほうが無難で安全で金になると思っている専門家だけが重宝される。一方で、反対意見を述べる専門家はそのような意見などまるで存在しないかのように無視されるのだ。

特に環境問題と健康問題に関しては、時代の気分を守るのが最優先で、それを害するような発言はタブー視される。

そしてその結果、環境問題と健康問題にはたくさんのウソがはびこることになったのである。

第２章

否定する専門家を無視して脱炭素に勤しむ不思議な世の中

「地球寒冷化」から「地球温暖化」への奇妙な変遷

もはやすっかり忘れ去られているようだが、1960年代後半から1970年代の前半ごろは、多くの科学者たちは「地球寒冷化」を危惧していた。「このままではまた氷河期が来る」といったたぐいの言説がまことしやかにささやかれていたのだ。

確かに1940年ごろから1970年くらいまで地球全体の平均気温は徐々に下がっていたので、そのデータを証拠にしながら、「地球はこれからもどんどん冷えていきますよ」と言われれば、なるほどそうか、と多くの人は思ったことだろう。

ところがその後、そんな予想に反する変化が起こる。

1970年あたりを境に、一転して気温が上がり始めたのだ。しかもそれがかなりの急カーブだったことから、今度は「地球温暖化」の問題がクローズアップされるようになる。

やがて、その原因は増える一方であるCO_2の人為的排出（化石燃料の消費による排出）なのではないかと科学者たちは疑い始めた。つまり、「自分たち人間のせいで、冷えていくはずの地球が逆に温められている」と言い始めたのである。1988年には、アメリカ上院の公聴会でNASAのゴダード宇宙研究所の所長で気候科学者でもあるジェイムズ・ハンセンが、「温暖化の原因は大気中のCO_2濃度の上昇であり、これは99%、人間の活動によって引き起こされたものだ」と証言したあたりから、「人為的地球温暖化説」はすっかり有名になって、いつの間にか「真実」として扱われるようになったのだ。

「このまま放置すれば、21世紀に入るころには地球全体で危機的な温度上昇を招くことになる」というハンセンの警告は恐ろしげではあるけれど、そんな地球温暖化が「人為的」に起きたものであるのなら、その解決も「人為的」にしなければならないという理屈は説得力をもつ。

かくして、1992年には「地球サミット」(環境と開発に関する国連会議)がブラジルのリオデジャネイロで開かれ、ここでCO_2排出抑制のための「地球温暖化防止条約」(気候変動に関する国際連合枠組条約)が採択された。そして1997年に京都で開かれた第3回締結国会議(COP3)では、法的拘束力をもつ具体的な数値目標（先進国全体で、２００８年から２０１２年までに、温室効果ガスの排出量を１９９０年の水準より少なくとも５％削減する）が「京都議定書」として採択されたのである。

「脱炭素ビジネス」をどこよりも熱心に推進したＥＵ諸国

「原因をつくったのは自分たちなのだから、自分たちで解決しましょう」というのは一見美しい話だけれど、人為的に起こしたものを人為的に解決しようとすれば、新しいシステムを立ち上げる必要がある。そこには当然、お金とエネルギーがいるので、そのおかげで儲かる人も出てくるというわけだ。

例えば、生物多様性が失われたのは自然破壊など人為的な影響のせいであることは誰だって知っている。しかし、第１章でも述べたように、それを本気で守ろうとすれば究極「開発をしない」ということになってしまうから、それではたいした商売にならない。一応ＳＤＧｓなるものの目標には入っているし、その大切さを訴え続けている人もいるにはいるが、世界を挙げてのメジャーな運動になりにくいのは、はっきり言えば「儲からない」からだ。

しかし、CO_2を減らすということであれば、電気自動車を造るとか、自然エネルギーを活用するための風車だとか太陽光パネルだとか、金儲けのチャンスはおおいにある。そこに気づいた人たちは、「人為的地球温暖化」説を後ろ盾にして、膨大な金を動かそうと目論んだのである。

しかも「環境を守る」とか「地球を守る」といった美しいお題目があれば人々の同意を得られやすい。また、ハンセンのように「このまま放置すると大変なことになる」と脅すことだってできる。もしも異を唱える人がいれば「お前は地球がどうなってもいいのか?」と糾弾するのも簡単だ。

こうして「地球温暖化を阻止するためにCO_2を減らす」ことが、人類の使命とか責任であるかのように思い込んだ「心ある人たち」の支持を得て、超がつくほど巨大な「脱炭素ビジネス」マーケットは見事につくられていったのである。

CO_2削減というキャンペーンに、どこよりも熱心だったのがEU諸国で、環境先進国などと呼ばれたりもしているけれど、彼らにとって、CO_2を悪者にする「人為的地球温暖化説」は非常に都合がよかったのだと思う。

なぜなら、ヨーロッパはもともと化石燃料の埋蔵量が少ないからだ。

2018年の統計では、石炭の可採埋蔵量の上位には、アメリカ（23・7％）、ロシア（15・2％）、オーストラリア（14・0％）、中国（13・2％）、インド（9・6％）であり、ヨーロッパでは、一番多いドイツでさえ、3・4％しかない。石油はさらに少なく、ヨーロッパの国を全部合わせても、世界全体のたった0・8％である。

つまり、化石燃料が主流であるうちは、化石燃料の埋蔵量が豊富な国に対して経済的な勝ち目はないのがEUの泣きどころなのだ。けれども、CO_2を悪者にして、化石燃料をエネルギーの供給源から締め出してしまえば、ほかの大国とも対等な立場に立てる可能性があるわけで、それなら自分たちがおいてきぼりを食わずに済む、と考えたとしても不思議ではない。

だから、再生可能エネルギーに力点を移し、徐々に化石燃料を締め出す政策を、国連などに働きかけて強硬に進めようとしていたわけだ。

「京都議定書」を批准しなかったアメリカの科学的根拠

確かに地球の気温は少しずつ上がっているし、CO_2の濃度や排出量も増えてはいる。しかし、相関があるからといって、CO_2が気温上昇の主因だと決めつけるのは科学的な思考からは程遠いと言わざるをえない。さまざまな文献を調べてみると、逆に気温のほうがCO_2の上昇に先行していることも確認できる。

しかも、CO_2の濃度や排出量が増えているのに、気温が下がっている時期もある。全世界の年間CO_2の排出量を見ると、1940年ごろまでは10億トン程度だったものが、1970年には40億トンに増えている。また、CO_2の濃度も310ppmから325ppmまで増大している。ところがこの時期の地球の平均気温は下降傾向にあり、30年間で0・2度下がっているのだ（48ページの図参照）。

もうこれだけでも、CO_2が原因で地球が温暖化しているなどという説はだいぶ怪しいと私なら思ってしまうし、温暖化が進むにしても、そこにはＣＯ$_2$以外の要因が働いていると考えるほうが明らかに合理的だろう。

　もちろん、私だけがそう考えているわけではなく、「人為的地球温暖化説」に異論を唱える科学者は以前からたくさんいた。「京都議定書」を批准せず、２０１５年に開かれた第21回締結国会議（ＣＯＰ21）で定められた２０２０年以降のＣＯ$_2$排出削減に関

過去150年の二酸化炭素濃度の変化

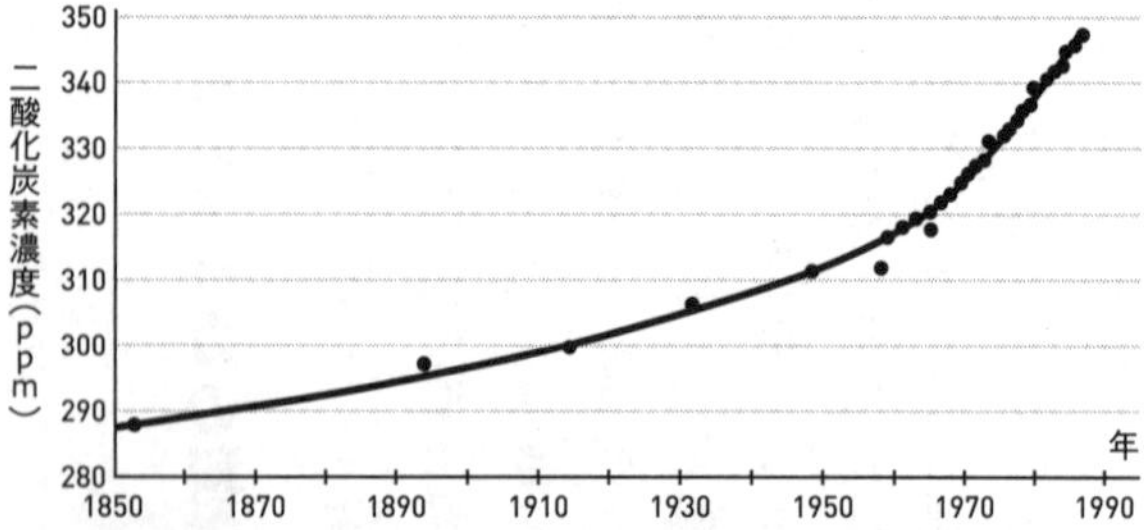

出所：R.A.Houghton and M.Woodwell,1989.Scientific American

	CO_2濃度	GISS世界平均気温	年間炭素排出量
1880年	295ppm	＊0.2度（↑）	4億トン
1940年	310ppm（↑）	0.4度（↑）	10億トン（↑）
1970年	325ppm（↑）	0.2度（↓）	40億トン（↑）
2004年	380ppm（↑）	0.5度（↑）	70億トン（↑）

※前の時期と比べて上昇していれば（↑）、下降していれば（↓）
＊1880～1900年の変化を表す

する枠組みを定めた「パリ協定」から脱退したアメリカを、「自国のエゴを優先したせいだ」と思っている人が多いようだが、その背景には、科学的観点からの反対意見の存在があったのだ。

人為的地球温暖化の有力な証拠の一つとしてあげられているのが、IPCC（Intergovernmental Panel on Climate Change／気候変動に関する政府間パネル）の第三次報告書に掲載されている、いわゆる「ホッケースティックグラフ」である（下図）。

これは、ペンシルバニア州立大学の気象学者である、マイケル・E・マンが1

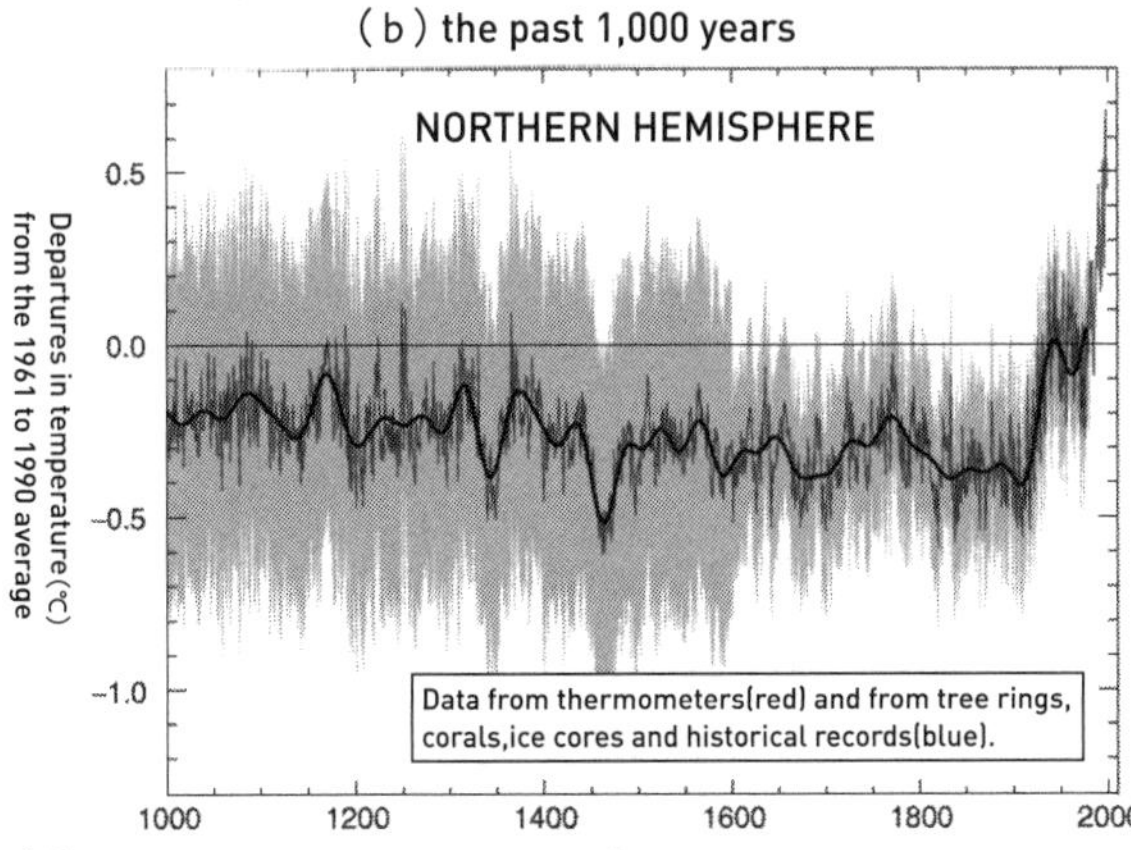

出所：IPCC2001

図のように19世紀まではほぼ気温が横ばいなのに、1900年ごろから急上昇し、その曲線がホッケーのスティックの形に見えることから「ホッケースティック曲線」と呼ばれる

998年に発表したもので、これを見ると確かに20世紀後半になってから地球の温度が急激に上がっているように見える。このグラフを目にした人は多いのではないだろうか。

ホッケースティック論争であらわになった地球温暖化と専門家のウソ

ところがこのグラフには、小氷期や中世の温暖期などによる気温変動が過小評価されるなど、明らかにさまざまな改ざんが加えられている。それを一部の科学者たちが暴き始めたことで、「ホッケースティック論争」と呼ばれる論争が繰り広げられるようになったのだ。

なかでも激しく批判していたのがカナダのウィニペグ大学の元教授、ティム・ボールである。マンはそれを名誉毀損だとして、ボールの住むカナダのブリティッシュコロンビア州の裁判所に訴えた。

これは、典型的なスラップ訴訟、つまり、強者が弱者に対して起こす嫌がらせ訴訟である。なぜかといえば、マンは環境利権団体をバックにもつ強者であり、資金力という意味でボールは完全に弱者だったからだ。

裁判になれば弁護費用だけで日本円にすれば1億円くらいかかるらしく、マン側はボールに金がないのを見透かして、「批判は間違っていたと謝罪すれば、和解には応じるし、訴えを取り下げてやる」と圧力をかけるつもりだったのだろう。ところが、ボールは絶対に和解などしないとはねつけた。また、人為的地球温暖化の懐疑論者からの支援金もかなり集まったようで、結局それで裁判は、(おそらくマンの意に反して)行われることになったのだ。

果たして、結果はどうなったのかというと、マンの完全敗訴だった。2019年の7月に、ブリティッシュコロンビア州の最高裁判所は、原告であるマンの訴えを棄却し、マンに対しボールの弁護費用を全額賠償するよう命じたのである。

そのような判決が出る決め手となったのは、「ホッケースティックグラフを作成するために使用した原データを開示せよ」という被告の求めを、マン側が拒んだことだった。そんなものを提出すれば、とりあえず疑惑の域でなんとか踏みとどまっていた「ねつ造」が、揺るぎない事実になってしまうのだから、開示できるわけがなかったんだろうな。

人為的地球温暖化の有力な証拠の一つが否定されたのだから、これは相当大きなニュースのはずなのに、日本のマスコミはこれをほとんど報じなかった。丁寧に探せばどこか一つくらいは報じていたのかもしれないが、少なくとも、国民の多くにこの事実を周知させるような報じ方ではなかったはずだ。

そのせいもあって日本では驚くほど多くの人が「人為的地球温暖化説」をいまだに信じ込んでいる。しかし海外の論文などを読むと、実は相当な数の科学者たちが「人為的地球温暖化説」を否定し、「地球温暖化はCO^{2}以外の原因で起きている」と主張しているのだ。

多くの専門家は地球温暖化とCO_2の本当の関係を知っている

ところが不思議なことに、世の中全体では相変わらず「人為的地球温暖化説」が当たり前のように支持されており、CO_2の削減こそが正義であるかのような風潮がいまだにまかり通っている。自分たちに不利なエビデンスを発表する専門家の意見を、完全に無視しているのだ。

CO_2を減らすというキャンペーンにはすでに多くの資本が群がっていて、それで儲けている人がたくさんいる。電気自動車とか、太陽光パネルとか、風力発電とか、そういったビジネスはCO_2を減らすことが善という前提で成り立っていて、その利権で焼け太りしている政治家も大勢いるから、今さら「人為的温暖化はウソでした」などと認めてしまうことはできないのだろう。

実は専門家の多くは、「人為的地球温暖化説」を完全に否定しないまでも「CO_2が温暖化の主因かどうかは科学的に立証されてはいない」という事実は知っているし、それを否定してもいない。しかし、「CO_2を出さないっていうことに加担するほうが儲かる」とか、「CO_2を出さないことはどっちにしたって地球のためになる」という理由で、「その方向でやってもいいのではないか」みたいなことを言い出す人が結構いるのには呆れてしまう。科学的な合理性とか、科学的な事実をないがしろにするのであれば、それはもはや科学者の意見とは言えないと私は思うけどね。

カリフォルニア工科大学の理論物理学の教授を務め、物理学、天体物理学、数学計算、エネルギー技術・政策、気候科学などの分野で200以上の論文を発表し、アメリカの科学政策のリーダー……という、どこから見ても一流の科学者であるスティーブン・E・クーニンも、2021年に出した『気候変動の真実』（日本版は2022年に日経BPより刊行）の中で、「人間が排出するCO_2は、地殻、海洋、食物、大気の間を動く炭素の広大な自然循環にとっては、比較的小さな「アドオン」でしかない。（中略）このアドオンが今後何十年間も増えていくのは間違いない。だが、さまざまな気候モデルが精度の高さを主張するにもかかわらず、これが気候に及ぼす影響は極めて不確実なのだ」とはっきり述べている。

アドオンというのは付加物のことで、まあ簡単にいえば、「人間が出すCO_2の影響はたいしたことないし、それがどれだけ気候に影響を及ぼすかなどよくわからん」というわけだ。

また、CO_2は大気中に長くとどまるので、過剰なCO_2が大気から消え去るには何百年もかかり、「よってCO_2排出量を少々制限しても濃度の増加スピードを遅らせるだけで、増加を阻むことはできない。CO_2濃度（とその温暖化効果）を一定に保つだけでも、地球規模の排出をゼロにする必要がある」とも言っている。要するに、CO_2を削減したとしても結局濃度は上がっていくのだし、完全にゼロにしてやっと現状維持なのだから、そんな努力はやってもムダだってことだよね。

『気候変動の真実』の巻末の解説には「仮に気候危機説に対して違和感を持ったとしても、適当に同調し、口をつぐんでさえいれば、悠々と暮らすことができるクーニンが、科学が歪められ、政治利用されることに憤り、あえてその実態に警鐘を鳴らした」という趣旨のことが書かれていたが、一流の科学者の良心などどうでもいいと言わんばかりに、「脱炭素」キャンペーンが根本から見直される気配は一切ない。

日本でも、環境省とか気象庁は人為的地球温暖化を前提にしていろんなことをやっていて、それを否定する人の声には一切耳を貸さないよね。そういう空気があるせいで、CO_2削減への努力は、「人間として当たり前の行為」くらいのことを言い出す人もいる。こうしてCO_2を減らすことで儲けようとしている人たちの思惑どおり、CO_2排出を人為的に削減させようとするキャンペーンは知らん顔して推し進められているのである。

専門家の残念な予測ハズレ一覧

過去の気候の変化に関しては、データがたくさんあるのでその原因を分析するのはもちろん可能だ。例えば、ここ数年猛暑が続いているのはなぜか、みたいなことに対してなら、科学的な理屈をつけることはいくらでもできる。

根本順吉（故人）という有名な気象学者はたくさんの本を書いているが、1974年に『冷えていく地球』（家の光協会、のち角川文庫）という本を出し、1989年には『熱くなる地球』（ネスコ）というタイトルの本を出している。このように書くと、ただブームに乗っかっているような印象を与えるかもしれないが、実際は必ずしもそうではない。あくまでも彼は客観的データをもとに気象学者として「臨床的診断」をしているのだ。

つまり、1940〜1970年に「地球の温度が徐々に下がっている事実」の原因を分析したのが『冷えていく地球』であり、その後、地球の温度が徐々に上がっていった事実」の原因を分析したのが『熱くなる地球』なのである。もちろん、それらの分析結果をもとに将来の見通しについても触れてはいて、『冷えていく地球』では、そのセンセーショナルなタイトルとは裏腹に、「今世紀（20世紀）の終わり頃から後は、また太陽活動が活発になることが予想されていますから、（中略）、われわれが住む温帯は、温暖な気候の時代を再び迎えることが予想される」と書いていたりもしている。温暖化の原因に関してもCO_2主因説を採っておらず、要因はさまざまであることを冷静に分析しており、これは科学的な態度と言っていいだろう。

一方、気候がどう変わっていくかという未来の予測は、本質的には科学とは呼べない。将来の気候がどう変わるかという予測は、あくまでもシミュレーションでしかないからだ。

もちろん、未知のことを「実験」という手法を使って解明するのも科学的なやり方の一つではあるけれど、地球はひとつしかない以上、対照実験をすることは不可能で、未来の気候予測理論の正しさを確かめる術はない。

人為的地球温暖化説が世界を席巻し始めていた1990年ごろから、地球や人間が2020年にはどうなっているかという予測がいくつも出されていたけれど、その予測はことごとく外れている。そのうちのいくつかをここに挙げてみよう。

1.「1987年から2020年までの間に地球の平均気温は3度上昇する」（ジェイムズ・ハンセン／NASA・ゴダード宇宙研究所）↓実際の上昇は0・5度
2. 21世紀の初めには、「キリマンジャロの雪は2020年までには消滅する」（ロニー・トンプソン／オハイオ州立大学の地質学者、アル・ゴア／元アメリカ副大統領で環境活動家、ほか多数）という予測がなされた↓2022年になっても雪は消滅していない

3.「モンタナ州のグレイシャー国立公園の氷河は2020年までに消滅する」(ファグレ/アメリカ地質研究所)→2022年の今も氷河は消滅していない(ちなみに、「この氷河は2020年までになくなります」という看板のほうは撤去されたらしい)

4.「2020年にはイギリスでは雪が降らなくなるだろう」(ヴァイナー/イースト・アングリア大学気候研究ユニット)→2021年の冬もイギリスでは雪が降っている。それどころか二十数年ぶりの大寒波に襲われている

なぜここまで予測が外れたのか。

答えは簡単である。もともとの理論が間違っていたからだ。

そして、その理論こそが、「CO_2の人為的排出が原因で地球温暖化が進む」というものである。もしも予測が見事に当たっていたなら、理論は正しかったと言えるだろうが、ここまで予測が外れている以上、「CO_2の人為的排出が原因で地球温暖化が進む」という、あたかも真実であるかのように語られた理論は、明らかに間違いだ

ったということではないか。

しかし、CO_2が悪者でなくなったりすれば、さっき述べたような電気自動車だとか、太陽光パネルとか、風力発電とか、そういったCO_2を減らすことを目的として成り立っているビジネスが正当性を失ってしまう。だから、間違いだとわかっているのに、「その理論が間違ってました」とは今さら言えないわけだ。

言えないのか、言わせてもらえないのかはわからないが、少なくとも彼らが誤りを訂正したなんて話は聞かないし、それどころか、IPCCなどは同じように「間違った理論」で立てた2050年の予測をちらつかせながら、相変わらずCO_2を減らせ減らせと言っている。結論をどんどん先延ばしにしておけば、結果が出るころにはその予測をした人もすでにこの世にはいないだろうから、責任を取る必要がないとでも思っているのかもしれないな。

地球の気温が上下するのは人間のせいではない

「CO_2の人為的排出が原因」という理論でのシミュレーション結果が現実化しないのは、「CO_2の人為的排出」が温暖化に与える影響が想定よりずっと低いせいである。

前出のクーニンも言っているように、CO_2排出量を少々制限してもCO_2濃度の増加を阻むことはできないし、そもそも地球の気温が上がったり下がったりするのは、「CO_2が増える、増えない」に左右されるわけではなく、はっきり言えば、自然変動なのである。

例えば、巨大な火山が爆発すれば、大量の亜硫酸ガスが成層圏まで達し、硫酸エアロゾルとなってそれが太陽光を遮って日射量を減らし、そのせいで地球の気温は数度下がることもわかっている。今から7万4000年くらい前には、現在のインドネシアの北スマトラあたりにあるトバ火山が、過去200万年で最大規模と言われる巨大噴火を起こした。そのせいで、世界の気温は5度くらい下がったと言われている。

このような地球規模に影響が及ぶような火山の爆発は、100年単位で見れば2〜3回は起きているのだが、20世紀は後半まであまり大きな火山爆発はなく、それが1970年以降の気温の上昇傾向につながったのだと思われる。

ところが、1991年になってフィリピンのピナツボ山が噴火し、その結果、その後の15か月間は地球の気温は0・6度くらい下がったのだ。またその余波で1993年の日本は冷夏に見舞われ、コメや野菜が大打撃を受けている。当時の世の中はすでに「人為的地球温暖化説」一色になっていたと思うが、人間が出すCO_2で仮に温暖化が進むとしても、火山が一度ドカンと爆発した時点で（それはそれで人間にとっては脅威だけれども）、すぐに帳消しになるのである。

予測不能な自然現象の変動は無視するタチの悪さ

また太陽活動の活発さを表す指標となる黒点の数によっても地球の気温は変動する。気象庁が1989年に発表したレポートにも、「地球全域の平均海面水温の長期変動

過去120年の地球全域の平均海面水温と
太陽黒点数の長期変化をまとめたグラフ

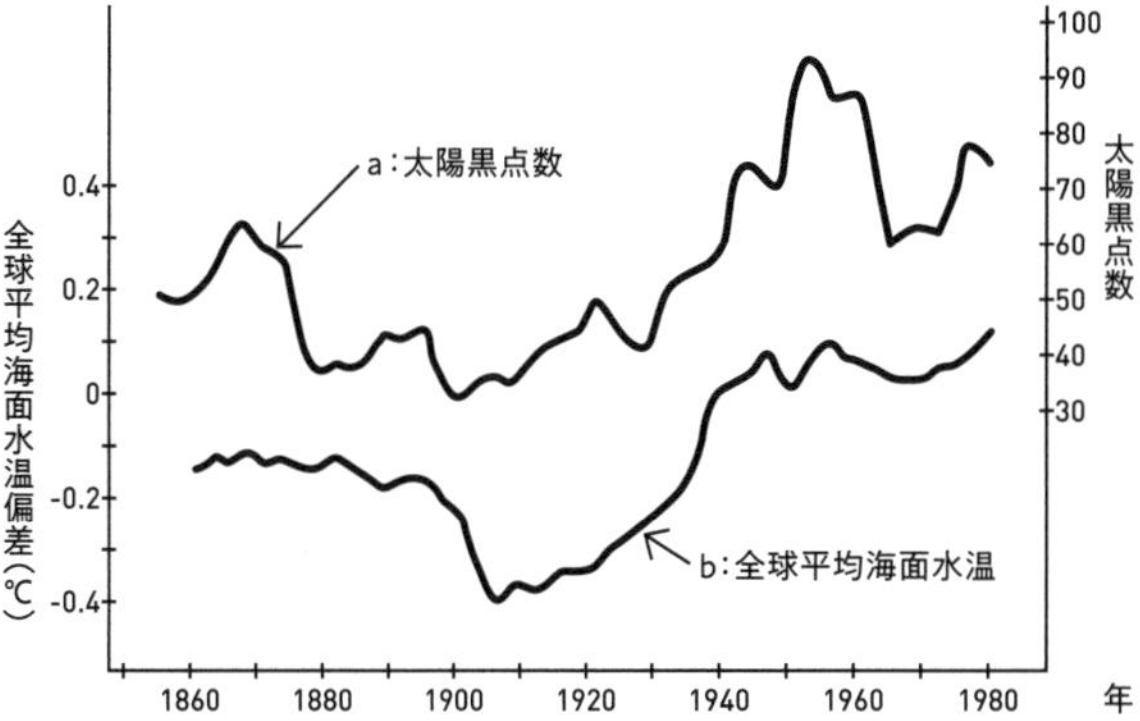

出所：気象庁編『異常気象レポート'89　近年における異常気象と気候変動──その実態と見通し（Ⅳ）』1989年、15頁

は、太陽黒点数の長期変化とよく対応している」と書かれている。実際過去１２０年の変動グラフを見ると、黒点数と水温の明らかな相関が見られる。相関があるからといって必ずしも原因であると決めつけることはできないと先ほど述べたけれど、太陽の活動が気候変動の原因なら、CO_2の増加が温暖化の主因だとする説では矛盾が生じていた、１９４０～１９７０年あたりの平均気温の下降傾向もこれで納得がいくのではないだろうか。

　デンマークのヘンリク・スベンスマルクは、太陽活動が弱くなると、地球に届く宇宙線の量が増加し、大気の電離を促して雲凝集核の生成が進み、雲の量を増やすという理論を発表している。

雲の量が増えれば日照時間は少なくなるので、地球は寒冷化する。17世紀半ばから18世紀初頭にかけての太陽の黒点がほぼ消えてしまった「マウンダー極小期」には、地球が寒冷化していたこともわかっているし、過去1万年あまりの間に太陽活動は黒点の多い高活動期と、黒点の少ない低活動期を8～9回繰り返しており、高活動期のときは気温が上がり、低活動期のときは低くなることもわかっている。

「CO_2の人為的排出が原因で地球温暖化が進む」という結論ありきの理論を前提としたシミュレーションに、果たしてこれらの自然現象による変動はどれくらい加味されていたのだろうか。あれだけ大外しをしたことを考えると、自然現象は「予測できない事態」として完全に無視されたか、「温暖化」という結論を導くために、かなり小さく見積もられたに違いない。CO_2なんかより、自然現象による影響のほうがはるかに大きいという明らかなデータが存在しているにもかかわらず、である。

火山や太陽活動の影響をほぼゼロに設定すれば、CO_2濃度の影響だけが過大に反映されたシミュレーションが構築される。自然現象の変動は予測不能なのでパラメーターから外したということだろうが、過去の事実からして自然現象が気候変動の重要な要因であることは明らかなのだから、これではシミュレーションが外れるのは当たり前だ。実際はCO_2の影響を際立たせるために意図的に無視したのだろうけれどね。

例えば、21世紀に入って3回くらい大きな火山が爆発し、太陽の黒点数が周期的に変動する、みたいな仮定を組み込んだシミュレーションをすれば、地球の気温はそれほど上がらないという結論も出てくるはずだが、そういう研究には金が出ないのだろうね。これこそがまさに、クーニンも危惧している「科学が歪められ、政治利用される」という状況なのだろう。

「予測」を「真実」のように語る欺瞞

気候に影響を与える要因は、火山の爆発や太陽活動以外にも大規模伐採や都市化などたくさんある。

要するに気候というのは複雑系の最たるもので、それをCO_2の濃度変化だけで説明しようとすること自体、相当無理なことなのだ。

しかも未来の気候を予測しようとすれば、未来の自然現象を予測しなければならないのだから、これはもう不可能に近いと言ってもいい。週間天気予想でさえ、しょっちゅうはずれるくらいなのに、20年先、30年先の地球の気温がどうなるかなんて、正確に予測できるはずなどないことくらい冷静に考えればわかるはずだ。

誤解のないように言っておくが、私は別に「予測が当たらない」ことを問題にしているわけではない。「予測」でしかないことをあたかも「真実」であるかのように思い込ませようとしていることに腹を立てているだけだ。

事あるごとにマスコミは、「CO_2の人為的排出が原因で地球温暖化が進む」という間違った理論ででっち上げられた「温暖化のせいでツバルが沈む」、「温暖化のせいでシロクマが絶滅する」、「温暖化のせいで夏は北極海の氷がたくさん解ける」といった話を垂れ流しているので、善良な人々は「可哀そうに」とか、「大変だ、これから地球はどうなるのだろう」と思い込んでしまうのかもしれないが、ここ20年以上もツバルの海面水準はほぼ横ばいであるし、シロクマの頭数はここ10年くらいの間にむしろ30％ほど増加したし、夏に北極の氷が解けてなくなる気配はない。マスコミは危機をあおる科学者の声だけを取り上げて、反対意見の科学者の声をほとんど無視しているので、多くの人が人為的地球温暖化を真実だと信じるのも無理はない。

とはいえ近年になって、「温暖化」に限定するのはさすがに無理だと思ったのか、いつの間にか、「寒いにしろ、暑いにしろ、気候がドラスティックに変動する」という話にすり替え、気がつけば「気候変動」という言葉が使われるようになった。

今はやりのSDGsにも「気候変動に具体的な対策を」というゴールが掲げられているようだが、実はそこには「地球温暖化」はおろか、「温室効果ガス」「二酸化炭素」という言葉は一切入っていない。これはもしかすると、「気候変動の原因はCO_2ではないかもしれない」と密かに疑っている人が書いたのではないだろうか。

それでも実際の「気候変動のための具体的な対策」のほとんどが、「元凶はCO_2だ」という前提で行われているのだから、本質はあまり変わっていないけれどね。

CO_2を減らすためにCO_2を生むマッチポンプ

「CO_2濃度（とその温暖化効果）を一定に保つだけでも、地球規模の排出をゼロにする必要がある」とすれば、人為的に温暖化を一応阻止するには「排出量ゼロ」が最低条件ということになる。

しかし、実際に推し進めている対策は、「ゼロ」からは程遠い。

例えば、CO_2を出さないと宣伝しまくっている電気自動車も、それが動いているときは確かにCO_2を出さないかもしれないが、その製造過程ではガソリン車に比べて2倍以上のCO_2を出すという試算もある。電気自動車が高いのは、それだけエネルギーを使っている証拠であり、それに伴うだけのCO_2が出ているということである。わざわざ補助金まで出して買わせようとしているけれども、補助金なしでも買えるくらい安くならないかぎり、ガソリン車に比べて、CO_2を出さないという意味でのエコとは言えない。今は、電気自動車よりハイブリッド車のほうが安いから、安いうちはハイブリッド車のほうがむしろエコだと言えると思う。

しかも日本の場合は約8割近くを火力発電に頼っているのだから、電気自動車を動かす電気をつくる過程ですでに大量のCO_2が排出されている。また、電気自動車は一定以上の距離を走るとバッテリー交換が必要で、そのバッテリーの製造過程でも大量のCO_2を出す。新しい車を買うにあたって今まで乗っていた車を廃車にするとなれば、そこでもまたCO_2が出るだろう。

つまり、頭からお尻まで考えれば、ガソリン車に乗り続けるほうが、むしろCO_2の排出は少なくてすむ、という可能性はおおいにある。そうなると、電気自動車を売れば売るほど、CO_2が増えるということにもなりかねないわけで、CO_2を本気で減らそうとするのなら、無理に電気自動車に買い替えさせないほうがいいはずだ。まだ乗れる車をチャラにして、次々と新しい車に買い替えさせればそのたびに大量のCO_2を排出するのに、所有台数の制限とか、買い替え回数の制限なんて話は絶対に出てこない。

冷蔵庫にしたって、消費電力がものすごく減ります、などと言いながら売りつけてくるけれど、冷蔵庫を造るのにもエネルギーを使い、廃棄するのにもエネルギーを使うのであれば、多少は燃費がよくなったって結果的に出るCO_2の量はあまり変わらない。

「CO_2削減こそが正義」という空気を醸成し、「自分は地球環境のためにいいことをしている」と思い込ませるための宣伝をしながら、あらゆるものをどんどん消費させて、結果的に大量のCO_2を排出し、それをまた減らさなきゃとあおって、別の商品を売りつける。こういうマッチポンプみたいなことをずっとやってるわけだ。

例えば、新型コロナウイルス感染症の蔓延によって、徹底した感染対策というニーズが生まれ、マスクの会社とか、空気を循環させる機械を造る会社が儲かる、というのは資本主義では当たり前だし、もちろんそれを否定するつもりはない。世の中に新しいニーズが生まれれば、それに応える商品が開発され、それで経済がうまく回っていくからだ。

しかし、ウソを前提に人を騙し、それで無理やりニーズをつくり出して自分たちだけが儲けようとする「脱炭素ビジネス」のやり方は、社会をにぎわす詐欺の手口と同じではないか。

太陽光や風力では電力の安定供給から程遠い

電気自動車推進派は、「今後世の中は、自然エネルギーへの転換が進んでいる。それを踏まえて長期的に見れば、電気自動車に乗り換えることによるCO_2削減効果は大きい」と主張する。それは確かにそうだけど、「自然エネルギーへの転換」自体に問題が山積しているのだ。

何よりもまず、太陽光や風力は「電力の安定供給」には程遠い。「自然だのみ」である以上、曇りの日が続けば発電量が減るし、風が吹かずに風車が回らなければ発電できない。

回らない風車で思い出されるのは、裁判沙汰にもなった、つくば市（茨城県）と早稲田大学のトラブルである。

つくば市は、市内の小中学校に風車を設置して、発電した電力を売った利益で地域通貨を発行するという環境省認定の「モデル事業」を、早稲田大学の協力のもと、3億円という費用を投じて2004年から進めていた。ところが、風車がまるで回らなかったため、風車自体の起動や制御板に使われる電力すら供給できず、また事業が失敗したことで、約1億8500万円の「二酸化炭素排出抑制対策事業費交付金」の返還を環境省に求められて、つくば市は大損したらしい。それで、お前のところの試算が悪いと、つくば市が早稲田大学を訴えたというわけだ。

ちなみに結果はどうなったかというと、2008年9月の東京地裁（一審）は「十分な説明をしなかった」として早稲田大学側に約2億9000万円の賠償を命じたが、2010年1月の東京高裁（二審）は「事業の再検討を怠った市側の過失も大きい」として賠償額を約8900万円に減額した。この判決には双方が上告の手続きをとったが、最高裁がこれを棄却したため二審判決が確定した。

聞くところによると、この事業は環境教育も兼ねていたらしい。皮肉にもその意に反し子どもたちには「風力発電は難しい」という印象だけが残ったことだろう。

そういえば、東京都は太陽光発電の推進のために、住宅の屋根に太陽光パネルを設置するのを義務化する条例を作ろうとしているらしいけれど、雨風にさらされる太陽光パネルが永遠に使えるわけはなく、設置したとしても10年もたてば老朽化がかなり進む。そうなると、また新しいのを設置しろという話になるが、そのためには金がかかるし、廃棄するにも金がかかるから、そのまま放っておいたり、山奥に捨てたりするやつもでてくるだろう。

実は太陽光パネルには、イタイイタイ病の原因になったカドミウムが含まれているから、処理を間違えると大変な公害問題が発生する危険もある。それを回収してそれを全部無害化するとなると、かなりのCO_2が出るはずだ。太陽光発電自体はうまくいったとしても、CO_2の排出量はむしろ増えてしまった、なんてことになりそうな気がしてならない。

火力発電の再稼働を決めたドイツの超ご都合主義

すでにわれわれは電気に頼りきった生活をしているのだから、電力の供給が不安定になることの弊害は多い。2022年の6月末に東京電力管内で、電力の需要に供給が追いつかないという事態になり大騒ぎになったけれど、ああいうことがしょっちゅう起こることになりかねないのだ。

だから、自然エネルギーの割合を増やすにしても、「安定」を確保することが求められる。そうなると、どうしたってバックアップのシステムが必要になり、バックアップというからには臨機応変に電力をつくれるものでないと困るわけだから、結局、火力発電に頼ることになる。太陽光発電や風力発電を造れば造るほど、そのバックアップのためだけに存在する火力発電所が必要になるなんてバカみたいな話じゃないか。CO_2うんぬんにこだわるからこんなおかしなことになるわけで、それなら最初から火力発電にするほうがずっと効率はいいはずだ。

また、発電コストの問題もある。火力発電のコストを1とすれば、太陽光発電とか風力発電は2倍くらいかかるのだ。２０２１~２０２２年は、石炭や天然ガスの輸入価格が高騰し、またロシアのウクライナ侵攻による影響なども相まって、電気料金の値上げが続いているが、自然エネルギーの転換をさらに推し進めた場合の値上げ幅はこんなものではすまないと思う。

脱原発を決定したドイツは、21世紀の半ばまでに電力の80%を再生可能エネルギー

（太陽光・風力・地熱・水力・バイオマスなど）で賄うという目標を立て、特に太陽光発電と風力発電に力を入れた。すでに、２０２１年上半期の時点で、再生可能エネルギーの割合は47・９％（風力23・４％、太陽光11・２％、バイオマス８・９％、水力４・４％）にまで達している。

補助金を出したり、買い取り価格を大幅に引き上げたため太陽光パネルが乱立することになったものの、日照時間が短いドイツはそもそも太陽光発電にはあまり向いていない。結果、コストパフォーマンスが悪くなり、ドイツの電気代はＥＵの中でも突出して高くなってしまった。また、風力発電のほうも、バルト海沿岸など適度に風が吹く立地条件のいいところにはすでに風車が林立しており、さらには低周波による健康被害や、風車に巻き込まれて鳥が犠牲になるといった問題もあって、これ以上は将来性がないものと思われる。

それでも以前はロシアから天然ガスを輸入できていたからギリギリ持ちこたえていたけれども、このままロシアによるウクライナ侵攻が長引けばその供給が先細りするのは確実な情勢だ。ちなみにドイツは侵攻開始後の１００日間で、日本円にして２兆円近くの石炭や石油も含めた化石燃料をロシアから買っていたことが明らかになった。ウクライナを支援する一方で、ロシアから燃料を買い、結果的にロシアの戦費調達を支援するという矛盾したことをしていたわけだ。

もともとCO_2削減はEUの基本戦略なので、EUはロシアからの石炭の輸入を2022年の8月から禁止することを決定して、石炭火力自体も廃止の方向で検討されていた。ところがもはや背に腹は代えられぬほどのエネルギー危機に直面しているドイツは、なんと休止中の石炭火力発電所を再稼働すると発表した。しかも今のドイツで与党の一翼を担っているのは、「一日も早く石炭火力をなくす」という公約で2021年の総選挙で大勝利を収めた緑の党である。

というわけで、化石燃料とりわけ石炭火力の早急な廃止をCOP26（2021年11月の気候変動枠組み条約第26回締約国会議）に盛り込もうと躍起になっていたドイツが、舌の根も乾かぬうちに火力発電を推進することになったわけだ。あんなに声高にCO_2削減を主張していたのに、いざ都合が悪くなれば、CO_2のことなど知らぬ顔して化石燃料を使いたいという。すべて自分たちの利益のためで、人為的地球温暖化の危機などつゆほども信じていない証拠である。呆れるほどのご都合主義だ。

CO_2の削減を政策に掲げている以上、合理的に考えれば、ドイツはあまり地震の心配がないし、フランスの真似をして原発を推進すればよさそうなものだが、「緑の党」は原発に強く反対していて、結局こっちの大義のほうが優先されたのか、原発の再稼働延長案は却下された。これで、2021年の上半期には発電量の12・8％を担っていた原発からの電力供給は2023年にはなくなることになる。ただし、緑の党の支持率はウクライナ侵攻以降急落しているので、しばらくすると、原発の再稼働案が再浮上するかもしれないけれどね。

20兆円以上をまさにドブに捨てた「6％削減目標」

何度も繰り返し述べているように、CO_2を減らしたところで、地球温暖化にも、気候変動にも微々たる影響しか及ぼさない。「どっちにしてもCO_2を減らすこと自体は地球にとって別に悪いことではない」という論理で、間違いだらけのキャンペーンの片棒を担ぐことを正当化する専門家もいるようだが、絶対に忘れていけないのは、そこに巨額のお金が注ぎ込まれているという現実だ。

『「地球温暖化」狂想曲―社会を壊す空騒ぎ』（渡辺正著／丸善出版）によれば、2005年2月に発効した京都議定書を受け、日本は、「温室効果ガスを第一次約束期間（2008～2012年の間）までに6％削減する目標」を掲げたが、仮にこの約束が守られたとして、日本が果たせる〝貢献〟はその間の地球の気温を0・0003℃下げることだという。こんなの焼け石に水にさえならず、無意味だと言っていい。

その無意味なことにどれくらいの金が流れたのかといえば、なんと総額20兆円以上だそうだ。議定書が発効した2005年以来、第一次約束期間終了までに、温室効果ガス削減のために、官民合わせてなんと1年に3兆円以上の金がつぎ込まれていたのである。コストパフォーマンスが悪すぎて話にならないが、それを牽引した連中は湯水のように金を使うデメリットについては考えが及ばなかったのだろうか。

そんなにお金があるのなら、福祉や教育などに使ったほうが絶対に賢いし、気候変動が事実なのであれば、台風被害の防止や被災者の救済に充てることだってできるだろう。そのうちの5%を回すだけでも、1年に1500億円だ。これだけあれば、相当の対策を講じることができるはずである。

事実を虚心坦懐に見ている科学者たちの「本当の声」に耳を傾ければ、「CO_2が温暖化に影響を与えているかどうかは科学的に立証されてはいない」ことも「気候変動のほとんどは自然現象によるもの」であることも明らかであり、温暖化も気候変動も「人為的」にどうこうできるものではないことがわかるはずだ。自然災害に適応するための対策に金や労力を使うほうが、よほど合理的かつ現実的なことは自明である。

「CO_2を減らせば地球が救える」は、人間がでっちあげた妄想

「どっちにしてもCO_2を減らすこと自体は地球にとって別に悪いことではない」というのにも、異論を唱える専門家はいる。

実際、長い地球の歴史を紐解けば、今よりも桁違いにCO_2の濃度が高かった時代はあって、それでも環境に悪影響はなく、動植物も元気に暮らしていた。CO_2があ

5億5000万年前以降の大気中のCO_2濃度の変遷

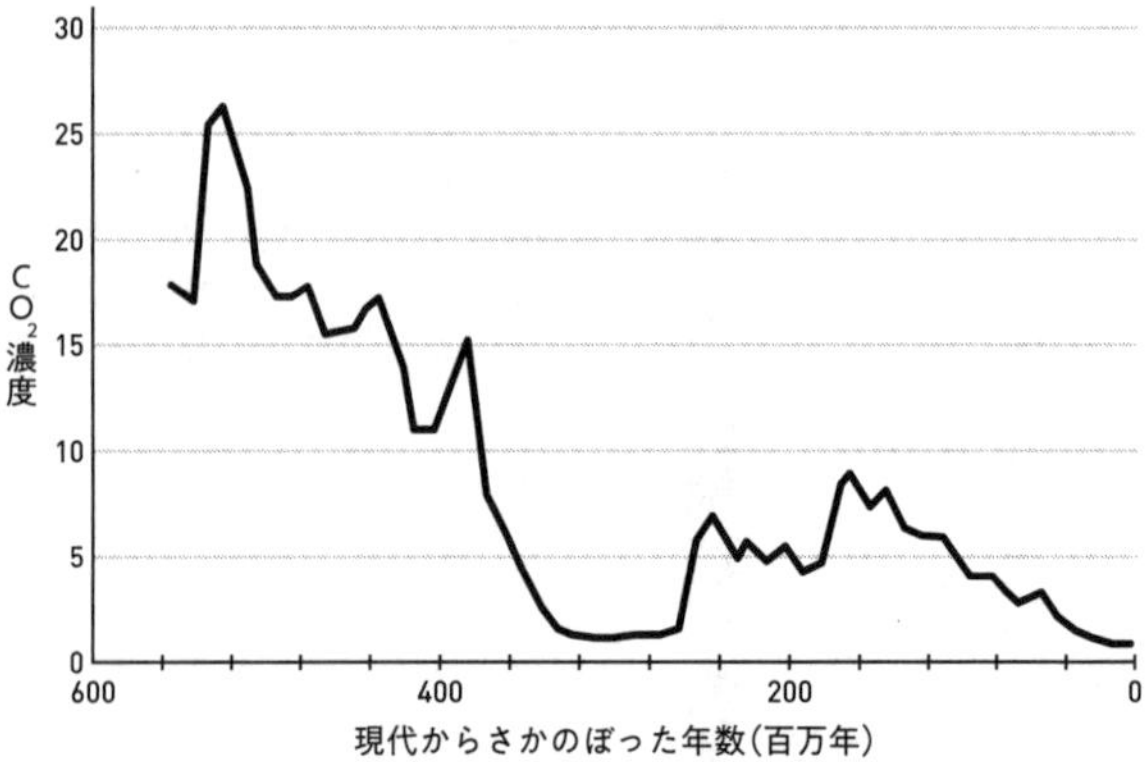

恐竜が繁栄した白亜紀（1億4500万年前～6600万年前）には、CO_2の濃度は現在と比べて5倍もあった。 出所：2002 University of California, San Diegoのグラフをもとに作成

る程度はあったほうが光合成のスピードも速くなり、植物の生産性が上がる。植物の生産性が上がれば、草食動物のバイオマス（生体量）も増え、それを食べる肉食動物も繁栄することができる。

例えば白亜紀は、CO_2の濃度が今の5倍くらいあり、気温は10度くらい高かったと考えられている。今とは比べ物にならないほど陸や海の生産性は高く、生物多様性も高かった。つまり、CO_2を減らせば地球が救えるなんて話は、人間がでっちあげた妄想なのだ。

もっとうがった見方をすれば、今のようなやり方でCO_2を削減したところで地球の温度は下がらないことは織り込み済みで、CO_2削減キャンペーンが「戦略的」に推し進められている可能性もある。

なぜなら、「人為的」に地球の温度を下げてしまえば、それによって別の被害が生じた場合に責任を取らされるリスクがあるからだ。

例えば、気温が下がったことで農業が大打撃を受けたとして、それが自然現象としての冷害なら誰も責められたりはしないけれど、人為的に下げたとなれば、訴訟が起きたって不思議ではない。しかし、CO_2削減をせっせと推し進めている人たちは、自分たちの活動によって温度が下がることはないとわかっているので訴訟リスクを考える必要はないわけだ。

一方、現代の科学をもってすれば、局地的に雨を降らせることは不可能ではないのだけれど、人為的に雨を降らせたとすると、みんなが喜ぶわけではなく、それによって損害を受ける人が必ず出てくる。もしも、うっかり大雨になってしまって、それで被害が出たりすれば、大変な騒ぎになるだろう。つまり、ヘタに効果があるせいで、別の問題が生じるわけだ。以前アメリカでは実際に「レインメーカー」というビジネスがはやり、思わぬ大雨になって訴訟沙汰になったことがある。

その点「CO_2削減によって温暖化を阻止する」ことが不可能なのははっきりしているので、危機感をあおりながらCO_2削減ビジネスを続けても気温が下がることはなく、自分たちの身に災難が降ってくることはない。

つまり、地球温暖化対策ほど、ノーリスクで、持続可能でおいしいビジネスはない。だから多くの心ある専門家が科学的見地からその有効性をどれだけ否定しても、それで儲けている人はやめようとはしないのだ。

そして一部の専門家は不都合な事実には目をつぶり、「このままこうした流れに乗っておくほうが得策だ」と思っているわけだ。

第3章

政治権力に迎合する専門家たち

ダーウインに金と時間と好奇心があったから「種の起源」が生まれた

18世紀まで科学者という商売はなく、自然現象を研究する人はアマチュアであった。アマチュアとは「愛する人」の意で、好きで好きで仕方がないことをひたすら研究していた人たちのことだった。もちろん、その結果として名声や富を得ることもあったのだろうが、彼らはあくまでも「科学的事実」を追い求め、少なくとも金儲けや身過ぎ世過ぎを目的に科学研究していたわけではなかった。

当時は、科学研究にうつつを抜かしていられるのは、類まれなる好奇心と才能、そして何よりそこに費やす金とヒマがある人間だけだったのである。

イギリスの自然科学者で『種の起源』を著したチャールズ・ダーウィン（1809～1882年）が生涯にわたって研究生活に没頭できたのも、十分な金と時間があったからだ。ダーウィンの父は医師で投資家、母はウェッジウッド社の創業者であるジョサイア・ウェッジウッドの娘であり、いわば彼は金持ちのボンボンだったのだ。妻となったエマもウェッジウッド二世の娘でダーウィンのいとこだった。ダーウィンには投資の才能もあったようで、父親から受け継いだ財産を大幅に殖やしていた。つまり、ダーウィンは豪邸に優雅に暮らす大金持ちの科学者だったのだ。そういえば妻のエマは若いころパリに遊学し、あのショパンからピアノを習ったこともあるらしい。

19世紀の終わりから20世紀の初めごろにようやく大学に理系学部が設置されるようになり、一般の人にも科学の道が開かれ始める。やがて、大学院で学位を取り、その後も研究者として生きていく連中も出てきただろう。めちゃくちゃ儲かるわけではなかっただろうが、中程度の生活は保証されるくらいの稼ぎはあったと考えられる。かくして、科学者というものが、一つの「職業」という位置付けになったのである。

付言すれば、19世紀後半まで大学の学部は神学部、法学部、医学部が主で、多くの大学は新興の科学を研究する学部を設置することに抵抗していた。

例えばアメリカではハーバード大学が意地でも工学部をつくらなかったので、マサチューセッツ工科大学ができた。ちなみに東京大学には1877年の創設当時から理学部があり、1886年に一時帝国大学と改称された際には工部大学校を吸収合併するかたちで工学部もできた。この時点で工学部のある総合大学は世界中でほかには存在せず、東京大学の工学部は世界で最初にできた総合大学の工学部だったのである。

最先端の科学分野の研究には膨大な資金が必要

職業として科学をやるにせよ、20世紀の頭くらいまでは「科学的事実を追究する」というのが科学者の最大の目的であることに変わりはなかった。一人とか少人数でコツコツ研究する感じでも成果はちゃんとあがっただろうし、大金持ちにはなれずとも、とりあえず食っていくのに困るようなことはなかったと思う。

ところが、科学はものすごい勢いで進歩して、20世紀の半ばには簡単で金もあまりかからない研究では大発見をすることはできなくなった。その結果、当然複雑で難しい研究をしなければ世間の注目を集めるような成果はあがらなくなった。

複雑なことをやろうとすると、やはりどうしても金が要る。「ＡＢＣ予想」という数学の重要な未解決問題を世界で初めて証明したことで、京都大学数理解析研究所の望月新一教授に注目が集まったけれど、数学の研究ならあまり金はかからないかもしれない。ただし、理系でそれができるのは、理論研究などかなり限られた分野だけだ。今や最先端の科学分野の研究には、大規模な装置とか、高性能の機械が欠かせない。これらの装置や機械というのは、極めて高額なので、膨大な資金がなければ最先端の研究はできない、と言っていい。最先端とまではいかない場合も、ほとんどの科学研究にはそれなりの金がかかるようになってしまった。

私が知る限り、いちばんお金がかかるのは、おそらく素粒子物理学の研究ではないだろうか。

素粒子物理学は、物質の最も基本的な構成要素である素粒子とその運動法則が研究対象だが、その研究は巨大な加速器での実験を重ねることで成り立っている。加速器の建設にも、維持にも、膨大な金がかかる。

生物学でも例えば生命科学分野の研究は、DNAの塩基配列を自動的に読み取って解析する「DNAシーケンサー」がなければもはやお話にならないというところまできているが、それを買うにも数千万円が必要だ。しかも、実験機器は日進月歩で進化しているので、せっかく買っても数年もたてばもっと性能のいいものが出てくる。そうするとまたそれを買わねばならず、これじゃあ、金がいくらあっても足りないだろう。

高い機械と安い機械じゃ解析の精度も速さも違うわけだから、なるべくいい機械をもっていたほうが、早く精度の高い結果が出せる。逆にいえば、いいデータを早く取れるかどうかは、最新鋭で性能のいい機械を備えているかどうかにかかっているのだ。

1990年に米国のエネルギー省と保健福祉省によって発足したヒトゲノム計画では、ヒト一人のDNAを解析するのに3000億円の金と13年の年月がかかったという。

しかし、今なら一日あればヒトの全遺伝子が解析できる。それにかかる費用も10万円以下だ。解析機の進化はそれくらいすさまじいのである。

もともと科学の世界というのは最初の発見者にプライオリティが与えられるので、何事も最初に発表した人が一番の栄誉を受ける。誰が先に成果を出すか、というのがものすごく大事なのであって、どんなにすごい発見でも2番手では当然ノーベル賞はもらえない。昔、誰かが「2位じゃダメなんでしょうか?」などと言っていたが、2位ではダメなのが科学の世界なのである。

いかに研究費を手に入れるかは科学者の死活問題

19世紀の科学者たちは、実験道具はたいがい自分で作っていた。道具が働く理屈がわからなければ道具を作れないので、彼らは自分のデータがどのようなプロセスで得られるのかをよく知っていただろう。

しかし、今の科学者たちは必ずしもそうとは限らない。マニュアルに従ってサンプルを入れれば、機械が勝手にデータを出してくれる。もちろん、もとをたどれば、機械は科学が生み出した技術によって造られるものだけど、今では科学のほうが技術に完全にディペンドし、機械によって科学の成果が生み出されるようになったのである。

そういえば、「DNAシーケンサー」の原理であり、新型コロナウイルス感染症の検査法としても有名になった「ポリメラーゼ連鎖反応法(PCR法)」を発明したキャリー・マリスがノーベル化学賞を受賞したのは、かなり画期的な出来事だった。

理系のノーベル賞というのは「これまでに知られていない新発見」に対して贈られるのが通例だったのに、マリスの場合は「DNAを増幅させる方法」という「研究の道具」を作ったことで受賞したからだ。

DNAシーケンサーを導入後、生物学は革命的な進歩を遂げ、新しい発見が次々ともたらされるようになった。新発見をもたらすにはより高度な技術的開発が極めて役に立つということが見事に証明されたわけだ。

今の時代、いいデータを得られるかどうかは、科学者の力量というより、機械の技術にかかっていることのほうが多く、そうなると研究者が研究しているのか、機械が研究しているのかわからないような状態になってくる。機械が研究するってことは、金が研究してるってことだから、金があるほうが、圧倒的に成果はあげやすい。最新鋭の実験機器さえあれば、研究者としては多少ボンクラであってもそれなりの成果が出る。いい機械が使える環境にいるかどうかということが、とても重要なのである。

それゆえに、実験科学者にとっての最大の関心事は、いかにしてたくさんの研究費を手にするか、ということになる。研究費の有無が実験科学者にとっての死活問題ということだ。

かつて国立大学に対しては、一定の研究費（講座研究費）が支給されていたが、2004年に独立法人化されて以降は、人件費を含めた「運営費交付金」に組み込まれることになった。そして「運営費交付金」自体が毎年1〜2％ずつ削減されている。

人件費を減らそうたって限界はあるから、結果として研究費に充てられる費用のほうにしわ寄せがくる。最近は、研究者が年間に使える研究費が20万円に満たないような地方の国立大学もあると聞く。その金額じゃ、パソコンを2台も買えば終わりだし、とてもじゃないが、研究なんてできるレベルではないだろう。

私がやっていた生態学などはたいして金のかからない分野ではあるが、それなりの研究費をもらえていたからこそ、自由に研究もできていた。それが奪われてしまうのだとすれば国立大学にいるメリットはない。そういうことを考えて私は2004年に山梨大学を辞め、早稲田大学に移ったのである。

金がないから研究成果も出ない負の無限ループ

今の巨大科学を支えているものの一つが、文部科学省およびその外郭団体である独立行政法人日本学術振興会の「科学研究費助成事業」が支給する、いわゆる「科研費」である。

文科省のホームページには、「科研費は、全国の大学や研究機関において行われるさまざまな研究活動に必要な資金を研究者に助成するしくみの一つで、人文学、社会科学から自然科学までのすべての分野にわたり、基礎から応用までのあらゆる独創的・先駆的な学術研究（研究者の自由な発想に基づく研究）を対象としています」とものすごく門戸が開かれているように書かれている。だが、応募するのは自由でも、もちろん誰でももらえるわけではない。

簡単にいえば、「こういう研究をするので金をくれ」という申請書を出し、審査を経て、採択されて初めて配分されるという「競争的資金」である。金がもらえるかどうかは前述のとおり死活問題なのだから、多くの研究者たちは面倒くさい書類書きに忙殺されている。

うまく金がもらえれば、それでいい機械も買えるだろうから、当然成果も出しやすくなる。さっきも言ったように、今や成果を出すのは、人というよりも機械の力によるもののほうが大きいからだ。

また、成果があがってちゃんとしたジャーナルに論文を書けば、それが実績となり、「しっかり成果を出す研究」だと判断されるので、次の科研費も得られる可能性は高い。もちろん、面倒くさい申請書をまたちゃんと出したら、の話だけれどね。

ところが科研費がもらえない研究者とか研究室は、金がないからまともな機械を買うことができない。当然成果もあげられない。だから次の申請を出したとしても、「成果をあげてない」ことを理由にまた申請が却下される。成果がないのはそもそも金をもらえてないからなのに、こんな負のループにハマってしまえば、もはやお先真っ暗である。

ちなみに新規応募の場合の採択率は、2022年実績でたったの12・3%だったらしいから、8件に1件くらいしか採択されていないのが現実だ。

権力に迎合する論文を書くことが至上命題

科学者の運命を左右する科研費の審査というのは、論文の数が多いほど、またそれを発表したジャーナルの格が高いほどウケがいい。

しかし、審査を通すために最も効果的なコツは、「文科省の官僚とか学会のボスが喜ぶような申請書類を書く」ことだ。逆にいえば、そういう人たちに嫌われてしまうと、審査に通らないし、金だってもらえない。文科省の意向に反するようなものに金なんか出るわけがない。さしずめ今なら、「人為的地球温暖化はウソだという研究」なんてものには一切金は出ないだろうね。

人文学、社会科学みたいな分野ならそこまで金はかからないので、科研費などもらえなくてもそれなりにやってはいける。しかし、理系の実験を主とする研究者の場合はそうはいかない。基礎研究費が削られているなかで、科研費までもらえないとなると、もはや研究などできなくなってしまうのだ。

その結果、科学者たちはすっかり骨抜きにされ、権力に迎合する研究のほうに傾いていく。金で縛られているのだから、当然好き勝手なことも言えなくなる。科学的事実をもって権力に「NO」を突きつけることがいかに難しい状況にあるかは、容易に想像できるだろう。

かつての専門家とか科学者っていうのは、誰にもどこにも従属せずに、自分の信念にもとづいて事実をしゃべってくれる人だったけれど、権力にコントロールされつつある今は、そういう人はまれである。これこそが巨大科学の弊害であり、この先、科学者たちが完全に政治的に取り込まれてしまったりすれば、権力にとって都合のいい専門家や科学者だけが生み出されることになる。

アメリカにも科研費のような制度があって（というより、もともと日本がアメリカの真似をしたのだ）、日本と同様にややこしい書類を書かされるが、日本と違うのは、すなわち、研究費を出す機関がいくつもあって、そっちはそっちで互いに競争関係にあることだ。研究助成をした研究が素晴らしい成果を出せば、それは助成をしたほうの評価になるのだ。

日本にはそのようなシステムはないので、審査するほうがどんなズボラな審査をしても、それ自体が問題視されることはない。これでは身内を贔屓するなどの腐敗が起こるのも当然だろう。

私自身も大学にいたころは、「科研費を申請してくれ」と大学側から散々言われたけれど、書類を書くのが面倒なので、35歳ころからは一度も申請していない。だから自由に発言できてラクだった。どっちにしても私の生態学の研究は高価な実験設備もいらないし、理論研究とフィールドワークだけで金もたいしてかからないので、わざわざそんな面倒くさい申請をしてまで金をもらう必要もなかったのだ。

友人の養老孟司は「科研費の申請書を書くより、本を書いたほうが早い」と言っていた。まあ、養老さんくらいたくさん本が売れるのなら、確かにそっちのほうが早いよな。

あまり金のかからない社会科学の分野をやってる連中は科研費をもらえなくてもさほど困らないので、政府の悪口を言いたいやつ、言えるやつはたくさんいる。すると今度は、そういう人たちのポジション自体を減らそうとする。かつて菅義偉政権が日本学術会議の6人の会員候補の任命を拒否したことが大問題になったが、拒否された

6人は全員が文系の人間だったよね。

結果として、権力にとって都合の悪い専門家がどんどん排除されてしまえば、政治の暴走はますます防げなくなってしまう。結果的に多様性は失われ、国力は衰退する。そういう点じゃ、今の日本はかなり際どい状況にあると思う。

産学連携の本質は「自社にとって役立つ」研究

昔はどの大学も学問の独立を守ることに躍起になっていたけれど、金欠状態となった今では、そんな悠長なことは言ってられなくなった。それもあって国立大学が法人化されたあたりから、民間企業と連携する「産学連携」が当たり前のように行われるようになった。「軍学連携」はさすがに反対の声が根強いけど、私に言わせればどっちもまあ似たようなものだと思う。

研究者には喉から手が出るほど欲しい研究費用がもたらされ、逆に企業側には大学の研究者が持つ技術やノウハウが提供される。当然ながら民間企業が金を出すのは、そこでの研究成果を自社の製品開発などに活かすためである。金を出しても成果があがらなければ、企業は丸損なので、出資するほうにはそれなりの覚悟が要る。だからその研究が「金儲けに直結するかどうか」を審査する目は当然厳しくなるだろう。

科研費にも似たようなところがあって、先ほど述べた「権力が好む研究」は「金儲けに直結する研究」だ。国は「選択と集中」などと言って、ムダな研究と見なしたものには金を出さずに、ものになりそうな研究を手厚く優遇しているところはあるけれども、いかんせん審査自体がいい加減なので、実際に成果を出せそうな研究であるかを慎重に吟味しているとは言い難い。審査するほうは責任を問われないというシステム自体の欠陥を正さぬ限り、「選択と集中」などやめたほうがコストパフォーマンスはむしろよくなると思う。

いずれにしても今のシステムでは、研究者が企業や科研費の審査員といった出資者のご機嫌をうかがうようになる。研究者としては金を切られたらアウトなのだから、これは当然の流れだろう。

そういえば、一般の人たちからあっという間にすごい研究費を集めたのが、猫の腎臓病治療薬の研究開発に携わる東大の宮崎徹教授である。

猫というのは、そのほとんどが10歳前くらいから腎臓が悪くなり、15歳くらいになると腎不全を起こして死んでしまう。それ自体は広く知られていたのだけれど、なぜ猫に腎臓病が多発するのかはずっとわかっていなかった。

その原因をつきとめたのが、ＡＩＭ（Apoptosis Inhibitor of Macrophage）という血中タンパク質をすでに発見していた宮崎教授で、ヒトとかイヌなんかはこのＡＩＭの発動によって尿細管のゴミが除去されるのに、猫の場合はＡＩＭをもっているにもかかわらずそれが発動しないことがわかったらしい。そのせいで尿細管にどんどんゴミが溜まってしまって、腎臓が正常に働かなくなってしまう、というわけだ。

逆にいえば、ＡＩＭさえ発動すれば、腎臓病を治療したり予防したりすることができる。そこで、猫用のＡＩＭ創薬を完成させようというのが宮崎教授のプロジェクトなのである。

ところが新型コロナウイルス流行の影響で研究資金が不足し、計画が中断しているというニュースがネットで配信されるやいなや、研究費の寄付を申し出る人が殺到した。そこで、東京大学基金が正式に寄付を募ったところ、最初の2週間あまりで約1万2000件の寄付が集まり、総額は約1億4600万円にも達したらしい。結局、2021年の7月中旬から2022年の1月初めまでの約半年で、なんと3億円近くの寄付が集まったという。その後、宮崎教授は東大を辞めて非営利の一般社団法人「AIM（アイアム）医学研究所」を設立し、国内の製薬会社と協業に向けた作業を進めながら、2022年の終わりから2023年の初めには治験に入ることを目指しているそうだ。

これは研究者なら誰もが憧れるようなサクセスストーリーだと思うが、2020年時点での日本の猫の飼育頭数は964万頭以上（一般社団法人ペットフード協会の調べ）だから、世の中のニーズが高い研究であったことがその背景にはあったのだろう。

ただ一方で、待ち望んでいる人はいてもその数が少ない希少難病と呼ばれる病気の治療薬の研究などは、たとえ実現しても売り上げが見込めないこともあって、資金面で苦労することが多い。

難病がいつまでも難病であり続ける理由の一つはここにあるのだ。

目先の利益優先ではイノベーションは生まれようがない

1997年に「大学の教員等の任期に関する法律」というものができて、助教クラスだと1~3年、准教授・講師クラスだと3~5年くらいの任期が課されることが多くなった。

短期間のうちに成果をあげなければクビになるとなれば、若手の研究者たちはどうしたって、そのときの潮流に乗る道を選ぶだろう。それなりの成果は出るだろうが画期的なイノベーションを生むのは難しい。今あるパラダイムの中であれこれやっている人がほとんどで、画期的な仕事をするのは1000人に1人もいないのではないだろうか。

誰かがAという生物のある現象を発見して、同じ現象をB、C、Dという生物でも発見しましたっていうのは二番煎じの研究だけれども、論文は書ける。オリジナリティはあまりないけれど、海のものとも山のものともつかない研究に没頭するよりもリスクは少ない。

しかし、リスクを取らなければ、凡庸な研究の域は超えられない。かくして任期制はイノベーションの芽を摘むことに加担することになる。

人のことは言えないけれど、今の日本を牛耳ってるのは年寄りばかりだ。彼らにとってみれば、10年先、20年先の日本の未来よりも目先の自分の利益のほうが大事なわけで、そういうシステムに最近の科学者や専門家たちはすっかり引きずり込まれている気がしてならない。あくまで私的な利潤を求める企業はともかく、長期的な視点で人類の幸福を追究すべき大学までが、そこに取り込まれているというのは困ったことだ。

金がつく研究とつかない研究の差

私がやっていた生態学なんかも、国とか大企業には「役には立たない」と切り捨てられそうな分野の代表格だ。

生態学というのは、例えばある生物がどんなふうな生活をしていて、環境からどのような影響を受けているか、ある環境（生態系）に暮らしている生物同士の相互作用はどうなっているか、などということを研究する学問なのだけれど、金儲けの役に立つとはとても言えず、一般の人から見れば、ああそうですかって話なんだと思う。

昆虫の分類なんかで、例えば新種のカミキリムシが見つかりましたっていったって、それが薬になるわけでもなさそうだし、どう見たって何かの役に立つというイメージはわかないだろう。

だから、こういう研究には金はつかない。

ところが、同じ生態学でも外来種を研究するとなると少し事情が違ってくる。

こういう外来種が入ってくると、こんなふうに産業にダメージを与えるとか、こんなふうに畑が荒らされますよとか、それをこうやったら駆除できますよとか、この外来種は日本の生態系を荒らしそうだよとか、この外来種はたいした悪さをしないからほっておいても大丈夫ですよとか、そういう話なら、なんとなく役に立ちそうなイメージを与えやすい。それなら金がつく可能性もある。

その結果、生態学者のかなりの部分は保全生態学のほうに流れていってしまった。

私が若いころにやってたようなギフチョウの個体群生態学の研究みたいな古典的な研究をする若い職業的研究者は、今ではほとんどいないだろうと思う。ギフチョウが日本人の生活のどんな役に立つのかと言われれば、たぶんなんの役にも立たないし、いなくなったところで日本の経済にはなんの影響も与えない。大型の鳥や哺乳類の絶滅危惧種の研究であれば、ＳＤＧｓにかこつけることで、多少の金はつきそうだけれどもね。

世界を救ったｍＲＮＡワクチンも当初は冷遇されていた

なんだか愚痴めいた話になってしまったが、そもそも本来の学問は、役に立つとか立たないとかいう基準とは独立のもので、研究者は自分の興味の有無によって研究対象を選ぶのが普通だった。

しかし、前述した理由によって研究者は、「これは役に立つ研究だ」と、フリでもいいからアピールせざるを得なくなってきた。

国も大企業もいずれそれで儲けられそうな研究にしか金を出したくないのだろうけど、1着になる馬券だけを買うなんてことはどだい無理な話だし、これはダメそうだと最初から排除してしまうことで、実は大きな可能性を秘めた研究が埋もれてしまうこともある。

2018年に、がん治療薬である「オプジーボ」の開発に道をつけたことでノーベル医学生理学賞を受賞した京都大学の本庶佑も、オプジーボの製品化までに22年もの年月を要した理由を「日本の製薬会社がまったく興味を示さなかったからだ」と語っている。

どうやらこれは日本に限らず世界的な風潮のようで、新型コロナウイルス感染症のワクチンにも使われているmRNAの技術を開発したカタリン・カリコは、母国ハンガリーではmRNAの研究を行っていたが、ハンガリーが経済的に破綻したため、金に困って1985年からはアメリカに渡って研究を続けた。

しかし、当時の生化学研究の主流はDNAのほうで、RNAというのはとても地味な存在だった。

また、彼女はｍＲＮＡの医療への応用を目指していたが、当時の学界では、不安定で分解されやすく、細胞の炎症反応を引き起こすｍＲＮＡを薬に使うことなど不可能だというのが「常識」だった。だから、アメリカでも評判はあまり芳しくなく、研究費を減らされたり、ポストを降格されたりもしたらしい。

その後、免疫とワクチンの研究者であるドリュー・ワイスマンと偶然出会って意気投合し、共同研究するようになったものの、ワイスマンとの連名で２００５年にｍＲＮＡが人体に引き起こす拒絶反応を抑える画期的な手法を学術誌に発表したあとも、周りの反応は冷ややかで、積極的な投資を申し出る人もいなかったという。

やっと風向きが変わったのは、２０１２年以降にｍＲＮＡ技術に関する特許を取得し始めたころからだというから、今や世界を救ったとまで言われる研究者でさえ、つい10年前までは冷遇され続けていたというわけだ。

「常識」にとらわれた勝手な判断が未来を閉ざす危険性

「選択と集中」というのは一見、費用対効果のいいやり方のように感じるかもしれないが、その判断は「現時点での常識」でなされるものだ。その常識を打ち破らない限り、未来を変えるようなブレイクスルーはありえない。画期的なイノベーションというのは「ないかもしれないけど、あるかもしれない」という偶有性の追求の先に起こるのである。

前出のカリコも、iPS細胞の作製技術を確立させてノーベル生理学・医学賞を受賞した山中伸弥（京都大学iPS細胞研究所）との対談番組の中で、「不可能だと教わったことでも、それを不可能とは知らない人が可能にするかもしれない」と語っていた。一方の山中氏もiPS細胞をつくる研究を始めたころ、皮膚の細胞からES細胞と同じような多能性幹細胞をつくるのは不可能に近いと考えていたらしい。しかし、その考えを変えてくれたのは、「植物ならば簡単だ」という植物学者の言葉だったと同じ番組で言っていた。

つまり、現時点での常識では不可能でも、その常識がいつひっくり返るかなんて、誰も想像などできないし、その時点での「常識」に縛られた判断が正しいという保証はどこにもないってことだ。

こうした事実に改めて気づいたらしいアメリカでは、一時期躍起になっていた「選択と集中」という方針を見直す機運が高まりつつあるという。日本でも、せめて全体の予算の半分くらいは均等に配るとか、あるいはくじ引きのような恣意性の及ばない方法で分配するといったことをそろそろ真剣に考えないと、科学研究の国際的地位は今後も下がる一方だろう。

地動説もメンデルの法則も「異端」から生まれた

潮流に乗っているほうが圧倒的にラクというシステムをつくり上げたせいで、科学者とか専門家はみんな、あえて主流に逆らうのは損だと考えるようになった。

現時点でのパラダイムに真っ向から反する学説を発表するのはものすごいエネルギ

ーを要することなので、多くの専門家たちはシステムにうまく自分を迎合させて生きようとする。よほどの自信と実力があれば別だろうが、特に若くてパーマネントの職をもたない研究者は、自分の将来のことを考えたらパラダイムに逆らうことなど恐ろしくてできやしない。

「常識」と思われている学説があったとしても、あれこれ研究していくうちに、その理屈では説明がつかないことに気づくことは多い。それを踏まえて、新しい理屈を考えたり、その時点では「異端」と呼ばれているような説から整合するものは何かというふうに探していくなかで、もしかするとこれではないかというものにたどり着くことがある。やがて多くの人が現行パラダイムの矛盾に気づくようになると、徐々に流れが傾いてきて、結果的にパラダイムシフトが起こる。本来、学問というのはこうやって進歩するのである。

つまり、今ある学説がすべて正しいと思い込むなんてことは、学問の進歩を止めるのに等しいわけで、常識を無視するような「変なやつ」というのは、科学が進歩していくためには絶対に必要なのである。

どんなにすごい理論だって、というか、むしろすごい理論ほど、たいてい最初は異端である。遺伝学の基礎となり、今では高等学校の生物の教科書にも載っている「メンデルの法則」も、グレゴール・ヨハン・メンデルが最初に提唱したときは、非常識な学説という見方をされて理解を得られず、ほとんど注目されることはなかった。世紀の大発見をしたにもかかわらず、メンデルは相当バカにされていたに違いない。

実はメンデルの本業は司祭であり、科学に関してはほぼ独学だった。のちに有名になったエンドウ豆の実験も修道院の庭で行っている。彼もまた、金儲けのためではなく、好奇心のおもむくままにひたすら研究するたぐいの「アマチュア科学者」だったのである。

結局、彼の存命中はこの法則が日の目をみることはなかったのだが、1900年に、カール・エーリヒ・コレンス（ドイツ）、エーリヒ・フォン・チェルマク（オーストリア）、ユーゴー・ド・フリース（オランダ）の3人がそれぞれ独立にこの法則を再発見したと称して、メンデルは一夜にして科学史の表舞台に躍り出たのである。彼らは35年前のメンデルの論文を読む前に、メンデルと同じ結論に達したと主張。生物史学者の中村禎里によれば、真の再発見者はメンデルに敬意を表してその法則に「メンデルの法則」という名前をつけたコレンスだけで、あとの二人は怪しいらしいけどね。

これはとてもわかりやすい例だけど、異を唱えたり、突拍子もないことを言いだす人の存在が科学を劇的に進歩させるのであって、地動説だって、当たり前の通説だった天動説に異を唱えたコペルニクスがいたからその概念が広がり始めたのである。

宇宙の中心にあるのは地球ではなく太陽だという太陽中心説を最初に唱えたのは、紀元前3世紀ごろの古代ギリシャの天文学者であり数学者のアリスタルコスだけど、まあ、彼なんかは明らかに「早すぎた天才」だったんだろうな。

対抗理論がなかったネオダーウィニズムの穴

進化論といえばダーウィンというイメージを多くの人が抱いているだろうが、今日の進化論は、厳密にいうとダーウィンが提唱したものから少し変化している。それもあって、ダーウィンのオリジナルな学説と区別するために、現代の進化論は「ネオダーウィニズム」と呼ばれることが多い。

ネオダーウィニズムは、ダーウィンが提唱した自然選択説と、メンデルの遺伝学説が融合した進化論で、ものすごく簡単に言うと「偶然起こる遺伝子（ＤＮＡ）の突然変異で生物の形や行動が少し変わり、その中から一番環境に適した遺伝子が選択されて生き残り、その遺伝子が徐々に優勢になった結果（自然選択）、長い時間を経たあとには形が大きく変わって、やがて別の生物になる」という考え方である。

この学説には対抗理論がなく、１９４０年ごろからはずっと進化論の主流になっていて、私も駆け出しの研究者のころはこのパラダイムに則った論文を書いたりもしていたと記憶している。一方、１９７０年ごろから遺伝子工学が勃興して、ＤＮＡを切り貼りできるようになった。つまり、自然界では偶然に起こる遺伝子改変を人為的に起こすことができるようになったわけだ。

ネオダーウィニズムが正しいとしたら、ＤＮＡが変われば形質が変わるので、人為的にＤＮＡを組み換えると、とんでもない新生物ができるのではないかと当初は考えられていた。だから、遺伝子をいじる実験は、Ｐ４施設という厳重に管理された施設の中でしか行ってはいけないというようなルールがあった。

ところが、やれどもやれども変な生物は出てこない。どんなにDNAを切り貼りしても、大腸菌は大腸菌だし、ショウジョウバエはショウジョウバエで、奇形になることはあっても別の種に進化することなどなかったのである。

また、人間の目とショウジョウバエの目はまるで違うものなのに、それぞれの目をつくる遺伝子を解析してみると、なんとその配列はほとんど同じだったのである。人間とショウジョウバエの目は系統的には別ものだ（相同器官ではない）。つまり、もともと同じ目から分かれて進化したわけではないのだ。

また、ショウジョウバエの目をつくる遺伝子を脚や触覚で発現させると、その場所に目をつくる。そこで、マウスの目をつくる遺伝子をショウジョウバエに導入して強制発現させてみると、ちゃんとショウジョウバエの目ができる。つまり、本来であればマウスの目をつくるはずの遺伝子も、ショウジョウバエの体の中では、脚や触覚にショウジョウバエの目をつくらせるように働くのである。この二つの遺伝子は基本的には同じ遺伝子なのだ。どんな形がつくられるかは遺伝子そのものではなく、文脈次第なのである。

変人扱いされてきた私を唯一認めてくれた恩人

ＤＮＡが変わっているのに形が変わらなかったり、逆にＤＮＡは同じなのに形が変わってしまうとすれば、「ＤＮＡの突然変異が進化の大前提」というＤＮＡ至上主義的なネオダーウィニズムの根本的な図式はあやうくなる。そういうこともあって、私は１９８０年代の半ばごろからネオダーウィニズムとは異なる進化のメカニズムを考察した論文を書き始めた。

ところが相変わらずネオダーウィニズム一辺倒の生物学界では、そんな私は変人扱いされ、発表した論文はほぼ無視された。唯一理解を示してくださったのが、当時すでに高名な分子生物学者だった柴谷篤弘先生（故人）で、私が構造主義生物学という異端の学説を曲げる必要がなかったのは、先生のおかげである。

日本生態学会の大会にはネオダーウィニズムを信奉していたころに2回だけ行った

けれども、潮流に刃向かった研究をするような研究者は、ほとんど観客のいない朝一番の発表に割り当てられたりするらしいので、その後は行ったことがない。学会は無視して正解だったな。

結局いつの間にか風向きが変わり、最近は手のひらを返すように、「自然選択と突然変異だけでは進化は説明できないことなど最初からわかりきっていた」みたいなことをしれっと言いだすやつが増えてきた。そういうエビデンスがいっぱい出てきたから、認めないわけにはいかなくなったのだろう。だからといって私のことを論難していた人たちから自分たちが間違っていた、なんて言葉をかけられたことはなく、なし崩し的な感じになっている。結局うやむやになったまま、最近では進化論自体があまり論じられなくなった気がするね。

とはいえ私の場合、変人扱いはされたけれど、別に干されるというほどではなかったし、基礎研究費をもらえていたから、特段困ることはなかった。私は子どものころから変人だったので、そう見られることには慣れていたしね。つまり、昔はちょっとくらい異端でもそれなりにやっていけたんだよ。でも、今の時代はそうはいかない。

あまりに異端の存在だと、金を一切もらえないし、短い期間で結果を出せと言われてもそれは難しいだろうから、そのままクビになってしまう可能性のほうが高いだろう。

今は純粋に学問ができる時代環境ではない

私のネオダーウィニズムに反対する学説が、なぜそこまで反発されたのかはよくからないが、それを前提に世の中が回っていくようなシステムが完全に出来上がっていたりすると、それを反故にするようなパラダイムシフトはなかなか起こしにくいというのが学界の現状だ。

私は構造主義生物学とは別に構造主義科学論という理論を独自に考えて１９９０年に公表したが（『構造主義科学論の冒険』毎日新聞社）、これは科学哲学の理論としては、「コロンブスの卵」みたいな話で、文句のつけようがなかったのだと思う。それで科学哲学の連中は文句を言わない代わりに褒めもせず、要するにただスルーしようとしていたが、私は自分の理論に自信をもっていたのであまり気にしなかった。一方で、東洋医学とか介護学の分野では興味をもってくれる人が結構いた。のちに、人間科学博士であり、実業家でもある西條剛央が、自ら構築した「構造構成主義」という理論枠のコアに採用してくれたことで、私の理論は科学一般に適当可能だということが広く認知されるようになってきた。

私の理論の核心は、「科学は真理を追究する試みではなく、現象を上手にコードする構造（同一性）を追究する試み」という文言で表される。AとBという二つの背反するパラダイムがあるとして、真なる理論は一つと考えると、Aが正しければBは間違いということになるか、Bが正しければAが間違いということになるか、あるいはどちらも間違いでまだ発見されていない真理がどこかにあるということになるが、真理ということにとらわれなければ、さしあたってある現象を最も上手に解釈できる理論が現時点では最も役に立つと考えればいいわけで、不毛な対立を多少は避けることができる。

しかし、こういう原理的な話は、実験をしてデータを出している科学者にとっては別にどうでもいいことで、彼らが関心があるのは、いかにして金を集めて一番乗りの研究をするかである。

今の巨大な科学はとにかくたくさんの利害関係がからまっていて、その間をうまくすり抜ける道を選ぶほうがリスクは少ない。だから「自分の信念」を語るにしても、既存のシステムにあまり大きな影響を及ぼさないような当たり障りのないところで寸止めする術を賢い科学者は身につけているわけだ。ヘタに本当のことを言えば干されてしまうかもしれない。だから、専門家や科学者の言っていることが信用できないのも当然で、そういう意味では、専門家が純粋に学問ができる世の中じゃなくなってきたのだと思う。

純粋な学問ができるのは今では、どこにもなんの利害関係もないような分野だけだ。私がやっていた進化の理論とか科学理論とか分類理論などは、論争がどっちに転んでも、一般社会にはほとんどなんの影響も与えない。だから金が出ないんだけどね。金が出ないということはポストもないことに繋がるから、公的な学問研究の場からはこれらの分野の研究者は締め出されつつある。情けないけれど、それが現実だ。

第4章

医者は病気をつくり出す専門家

医者は健康に関する専門家のはずだが……

世の中に出回る健康法というのはまさに玉石混交で、時には正反対の主張が同時に流行していることさえある。

例えば朝食ひとつとっても、毎朝きちんと取ったほうがいいという説がある一方で、朝食を食べるから不健康になるという説もある。りんごを毎朝食べろという説があるかと思えばバナナのほうがいいという説があったり、もっと肉を食べろとか逆に肉は食べるなとか、何が真っ当な情報かさっぱりわからない。

なぜそんなことが起こるのかというと、食や栄養に関する専門家と称する医師や栄養士によって言うことが違うからだ。これらの人々こそが健康に関する専門家であり、そんな専門家が言っていることなら正しいに違いないという世の中の思い込みが、矛盾するさまざまな健康法を次々と生み出している。

ただ、その手の本をじっくり読んでみると、「○○健康法」というのはさまざまな情報のごく一部だけを過剰に切り取っているケースも少なくない。

一般大衆に向けた情報は、わかりやすいに越したことはないため、マスコミは「カリウムにはナトリウムを排出する効果がある」という話を、「バナナをたくさん食べれば血圧は下がる」といった単純な話にして伝える。確かにバナナにはカリウムが多く含まれているからまったくデタラメではないけれど、結局これも、専門家の意見の中でセンセーショナルにあおることができそうな部分だけを、都合よくつまみ食いしているパターンである。

とはいえ、食べるものをちょっと変えたくらいで、健康にたいした影響はないので気になるなら試してみればいいというだけの話だ。バナナに毒があるわけじゃないし、まあこの程度の話なら、別に目くじらを立てる必要はない。バナナが血圧を下げるというのは一種のおまじないみたいなもので、実害があるというわけではないからね。

問題はむしろ、大多数の専門家が声をそろえて発する、正しそうに見える「医学常識」や「健康常識」のほうにある。なぜならそこには、専門家にとって都合のいい「ウソの常識」もたくさん含まれており、それを正しいと思い込まされたせいで、健康になるどころか、かえって不健康になることもあるからだ。

看過できない「高血圧」のウソ

第2章で述べたように、「地球温暖化の原因は人間が出すCO_2だ」というのは政治経済的な力学のみで維持されている「ウソの常識」である。ただ、極端な話をすれば、CO_2を減らしたところで地球への影響は微々たるものなので、それによるデメリットのほうもさして重大ではない。余計な金がかかることや、それによって一部の連中だけが大儲けすることは確かにデメリットではあるが、一般の人たちが直接的な被害を被るとまでは言えないだろう。店でレジ袋がもらえなくなる、くらいのことは起こるとしても、少なくとも命にかかわるようなことはでない。

つまり、「ウソの常識」を前提にCO_2の排出を意図的に減らしたとしても特段いいことが起きない一方で、深刻な悪影響も発生しない。まあ、それこそが「脱炭素キャンペーン」のやっかいなところで、可もなく不可もない分、多くの人たちが延々と騙され続けてしまう「持続可能なペテン」なのである。

しかし、医療や健康における「ウソの常識」の場合そうはいかない。一般庶民の健康に直接関わりのある科学が医学なので、それを信じた人たちの健康が害されたり、最悪の場合は命が脅かされてしまうこともあるからだ。

とりわけ罪深いと私が思っているのは、「高血圧」に関するウソである。

老化した血管は弾力を失うので、若いころより強い力で血液を送り出さなければ血流が保てなくなる。歳をとるにつれて血圧が高くなるのはこのせいで、つまり、血圧が高くなるのは、一種の老化現象なのである。以前は「上の血圧は年齢プラス90くらいがちょうどいい」ということも言われていたが、絶対的なものではなく、ただ血圧が高いというだけで医者に行くような人はいなかったと思う。

しかし、1978年に世界保健機関（WHO）が「160／95㎜Hg（最高血圧が160㎜Hg以上もしくは最低血圧が95㎜Hg以上）の人は高血圧である」と定義したことで、日本の医者たちもこれに従うようになり、血圧の高いことがあたかも「病気」であるかのごとく扱われるようになった。

そして2000年には、大学の医療研究者が委員を務める日本高血圧学会が、140／90㎜Hg以上とさらに基準を厳しくした。この時点で「高血圧症」とされる人は1

600万人から3700万人に激増したのだ。

血圧が高くなるのは老化現象である以上、高齢者ほど高血圧になるのは当然で、今や男女ともに、60歳を超えると6割以上、75歳を超えるとなんと7割以上の人たちが「高血圧」と診断されている。自分が高血圧であるという自覚のない人も含めると、「患者数」は4300万人にも上るらしい。2022年時点での日本の人口は約1億3000万人だから、日本人の3人に1人は高血圧というわけだ。2019年の国民生活基礎調査によれば、男女ともにデータが確認できた2000年以降、通院者率1位の傷病は「高血圧」なのである。

「長生きするには血圧を下げなくてはいけない」は正しいのか？

高血圧そのものは本来、病気とは言えない。しかし、基準を超えた人は治療対象だから医者へ行けというのが日本高血圧学会の言い分である。仕方なく医者に行けば、「血圧が高いと動脈硬化がどんどん進んで、ほっておくと虚血性の心疾患とか脳卒中になりますよ」と脅される。それは確かに一大事だから、多くの人は「なんとかして血圧を基準値以下に下げなければ！」と考えるに違いない。

若い人たちなら食事の塩分を減らすとか、運動をするなどの生活習慣の改善でそれなりに下げられるだろうが、高齢者の場合はそもそも歳をとったから血圧が上がっているわけなので、生活習慣をちょっとやそっと変えたくらいじゃ下がるはずがない。

そこで登場するのが、「降圧剤」である。

降圧剤は文字どおり血圧を下げる薬なので、飲めばそれなりに効果はある。血圧が順調に下がっていけば「よかったですね〜」などと医者に褒められて、いい気分になるかもしれないが、歳をとることは止められないわけだから、薬をやめればまた血圧は上がっていく。だから一度飲み始めた降圧剤をやめられる人はあまりいない。

しかも、血圧が下がるのは、決してよいことばかりではない。

血管の老化にあらがって血流を維持するための「高血圧」なのだから、それを無理に解消すると、血流が滞ってしまう可能性はかなり高い。そのせいで脳の働きが落ちたりとか、免疫機能に影響が及ぶことだって、十分に考えられる。また、高齢者の場合は血圧が下がることで転倒のリスクが高まることもよく知られている。

実際、降圧剤を飲んでいない521人の高齢者（75〜85歳）を対象に行われたフィンランドでの調査によると、80歳のグループで5年生存率が最も高かったのは最高血圧が180㎜Hgを超えた人たちだったらしい。もちろんこのデータだけで、血圧が高いほうがいいとまでは言い切れないが、「長生きするためには絶対に血圧を下げなくてはいけない」という医者の言い分は必ずしも正しくないことがよくわかる。

知られざる降圧剤ビッグビジネスのカラクリ

ところが多くの医者は、「血圧が高いと虚血性の心疾患や脳卒中のリスクが上がる」というデータだけを見せながら、せっせと薬を処方する。そのかいあって、日本の降圧剤市場はものすごい勢いで拡大している。

少し古い記事になるが、2017年11月17日付の日刊ゲンダイヘルスケアの記事によると、長浜バイオ大学コンピュータバイオサイエンス学科の永田宏教授が厚生労働省のNDBオープンデータをもとに試算した結果、処方量の上位100品目までの降圧剤の合計金額はなんと5492億円にもなるらしい。永田教授は「降圧剤はよほどオイシイ商売なのでしょう」と書くにとどめているが、「降圧剤をオイシイ商売にするため」に製薬会社が政治家やWHO、そして学会などに働きかけ、無理やり基準を厳しくさせたというほうが明らかに合点がいく。

そういえば2014年に、日本人間ドック学会が約150万人のデータをもとに、147/94㎜Hgまでは正常とする新しい基準の提唱を行った。すると案の定、2000年から「140/90㎜Hg以上は高血圧だ」と言い張っている日本高血圧学会は激怒したのだが、そのとき、医療費削減を目論む行政側の陰謀ではないかと一緒になって猛反発したのが製薬会社だったのである。上の血圧は147㎜Hgまで正常です、ということになると患者の数は全然違ってくる（1800万人減少するという試算もある）のだから、その分売り上げが落ちてしまうしね。

結局このバトルは、「自分たちは将来の合併症発症の観点で基準値を決めている」と主張する日本高血圧学会の勢いに押されたのか、日本人間ドック学会のほうが「あくまで健康の目安であり、病気のリスクを示したものではない」という言い訳をして、事実上折れるかたちで決着したようだ。

しかし、日本高血圧学会のほうは、世間に「間違った基準値」が広まって降圧剤をやめる人が続出したら大変だと思ったのか、「高血圧学会から国民の皆様へのお願い」なる声明文まで発表し、また、147とか94という数字に大きな「×」印をつけたパンフレットまで作成して、「正しい基準値」の広報に全力を尽くしたのである。

降圧剤を飲み続けたほうが死亡リスクは高まる!?

薬を飲ませてまで、世の中の人たちの血圧を下げようとするのは、「血圧を適正値まで下げておけば将来的に虚血性の心疾患や脳卒中を発症するリスクが下がる」という前提があるからである。先ほどの「高血圧学会から国民の皆様へのお願い」にも以下のような文言があった。

「実際、至適血圧を超えて血圧が高くなるほど，全心血管病、脳卒中、心筋梗塞、慢性腎臓病などの罹患リスクおよび死亡リスクが順に高くなります。**また、高血圧を治療することによって心血管病の発症は減ることが確認されています。**この分類は世界共通で、原則として140/90㎜Hg以上の人は高血圧として治療の対象とされます」

日本高血圧学会の指針を遵守する医者に、この「お願い」の文中の、特に太字部分を言い聞かされ、「治療の対象」とされた人たちはせっせと薬を飲んでいるのだろう。

ところが、そういう人たちがひっくり返りそうなデータが、筑波大学医学医療系の山岸良匡准教授らの研究グループによって発表されている。

血圧の実測データのある30地域の2万7728人を、健診時の血圧を欧州の基準にもとづき、「至適血圧」（120/80㎜Hg未満）、「正常血圧」（120〜129/80〜84㎜Hg）、「正常高値」（130〜139/85〜89㎜Hg）、「Ⅰ度高血圧」（140〜159/90〜99㎜Hg）、および「Ⅱ〜Ⅲ度高血圧」（160/100㎜Hg以上）の5つの群に分け、約20年間かけて追跡すると、以下のような結果になったそうだ。

①循環器疾患の主なリスク要因を統計学的に調整したうえで、循環器疾患の死亡リスクを正常高値群を1として算出すると、至適血圧群で0・85倍、正常血圧群で0・

96倍、I度高血圧群で1・26倍、II～III度高血圧群で1・55倍となった。この関連は降圧薬を服用していない人だけでみた場合も同様だった。

②降圧薬を服用している人だけでみた場合は、至適血圧群で2・31倍、正常血圧群で1・68倍、I度高血圧群で1・56倍、II～III度高血圧群で1・63倍となり、U字型の関連が示された。

③この関連は、脳卒中による死亡や虚血性心疾患による死亡でも同様で、また男女別にみても同様だった。

血圧が高い人ほど循環器疾患の死亡リスクが高くなることを示す①は、日本高血圧学会の言い分どおりのエビデンスであることに異論はない。

しかし、②や③の結果は、降圧剤を飲んでも血圧が下がらない人、つまり降圧剤が効かない人よりも、降圧剤を飲んで正常の範囲まで血圧を下げられた人のほうが、むしろ、循環器疾患、脳卒中、虚血性心疾患で死ぬ確率が高まるということを示している。しかも、「至適血圧」まで下げた人の死亡率が最も高い。この報告ではU字型と表現しているが、正常血圧に下げた人のほうの死亡率が高いのだから、決して左右対称のU字型ではない。死亡リスクは高まるけれど、発症は減るなんてことはありえないわけで、要するにこれは、日本高血圧学会の太字部分の言い分がウソであることの「エビデンス」である。そして同時に「高血圧を治療することによって心血管病の発症は減る」という前提が崩れたことを意味しているはずなのだ。

「脳梗塞の発生数が6割増し、がんの発症数が4・5倍」に

ところが、この衝撃的な研究結果は不思議なことに世の中に広く広報されていない。ただし、高血圧専門誌『Journal of Hypertension』のオンライン版に掲載されたそうなので、勉強熱心な高血圧専門の医者であれば目を通しているはずであろう。医師免許を取ったあとは、ほとんど勉強をせず、情報をまるでアップデートしないタイプの医者も珍しくはないけれど、少なくとも日本高血圧学会の人間がまったく知らないとは考えにくい。

しかも、驚くべきことに、近藤誠の『医者が「言わない」こと』(毎日新聞出版)

によると、日本高血圧学会は、このような「前提の崩壊」を実は２０００年の時点で把握していたらしい。

　日本高血圧学会が、上の血圧が１６０〜１８０㎜Hg、下が90〜１００㎜Hgという高齢者を、降圧剤を飲ませたグループと放置したグループに分けて２年間にわたる比較試験をしたところ、放置した群に比べて降圧剤を飲んだ群では脳梗塞の発生数が６割も増し、がんの発症数が４・５倍になったというのだ。

　この試験結果は２０００年に論文として医学誌に掲載はされたものの、その後も記事化はされていないし、医者の教科書にも載っていない。これはもう、自分たちに都合の悪いことはなかったことにしたい日本高血圧学会やそれに属する専門家たち、そしてその人たちを金の力で丸め込んでいる製薬会社の陰謀としか思えない。

　しかも「１４０／90㎜Hg以上の人は高血圧として治療」するという方針が見直されるという話を聞くことは一切ない。それどころか、２０００年の比較試験の結果からすれば、無自覚ゆえに治療していない人はそのまま放置してあげたほうがおそらく長生きできる可能性を知っているにもかかわらず、推定４３００万人いるとされる高血圧患者のうち、「無自覚ゆえに治療していない1400万人」の掘り起こしまで企んでいる。また、2019年に改訂された「高血圧治療ガイドライン」では、130〜139／85〜89㎜Hgの血圧区分は、「正常高値血圧」から「高値血圧」に変更された。「正常」の文言が削除され、あえて危機感をあおるような表現になったのである。

これもまた、人為的地球温暖化説と同じように、それを前提にしたシステムが完全に出来上がっているせいなのだ。そうしたシステムの中で医者や製薬会社が大儲けしているから、前提を変えることはできない。もちろん異を唱える医者もたくさんいるが、日本高血圧学会の意向に反するような発言は主要なメディアにはほとんど取り上げられず、結果的にそれらの声はなかったものにされてしまう。多少は後ろめたい気持ちはあるにしても、ヘタに反論したところで決して自分の得にはならないことを知っている多くの医者は「降圧剤で血圧を下げすぎるのはよくない」あたりのところで、なんとか患者をごまかしているケースがかなり多いように思われる。

「異常がないほうが異常」という結果が出る人間ドック

高血圧に限らず、何かの異常を自覚させるのに役に立つのが「健康診断」や「人間ドック」である。そして、どれだけ「役に立つ」のかは、人間ドックですべて「異常なし」と言われた人の割合がよく物語っている。2015年のそれはなんとわずか5・6%である。しかも正確に言うと、この数字には「軽度異常」まで含まれている。そうなると純然たる「異常なし」の人はさらに少ないわけだから、もはや「異常がないほうが異常」だと言ってよい。

ここまで「異常」な人ばかりになる理由としてあげられるのは、受診者の高齢化と検査項目の増加そして厳格化である。老化というハンディを抱えた高齢者にさまざまな検査を行えば、こういう結果になるのは当然なので、「自覚のない患者の掘り起こし」は簡単に実現するだろう。人間ドックほどではないにせよ、健診にも似たような効果があるのは間違いない。

異常だと言っても、それはあくまで他人のデータと比較した際の「統計的なはずれ値」である。健康か病気かの絶対的な基準なんてものは実は存在せず、その方面の専門家たち（学会など）が、「この辺から先は病気ってことにしよう」と恣意的に決めているだけだ。高血圧の基準がそうであるように、基準をちょこっといじれば、治療対象となる患者の数を増やすことも減らすことも可能なのである。

放置する人も一定数はいるだろうけど、「異常」と言われるとだいたいの人は不安になって、自ら医者に足を運ぶだろう。そういう人はおそらく真面目な人なので、その後も医者の言うことを聞いて、「異常」を正常にすべく、努力するに違いない。

定期的に健康診断を受けても総死亡率は下がらない

私ももう20年近く人間ドックも健康診断も受けていないが、とりあえず健康である。早稲田大学に勤めていたころ、最初は毎年のように健診を受けろと言ってきたが、すべてスルーしていたら、そのうち何も言われなくなった。早稲田はいい大学だ。

多くの人は、より健康になりたいとか長生きしたいというモチベーションで健診や人間ドックを受けるのだろうが、定期的に健診を受けても総死亡率は下がらないことを示す臨床試験結果が欧米にはたくさんある。米国総合内科学会なんかは「毎年の健診は害のほうが多い」と明言している。日本では社員に健診を受けさせるのは企業の義務になっているが、そもそもアメリカにはそのような義務はないし、人間ドックも日本ほど浸透していない。

アメリカ以外の先進国も似たような状況で、エビデンスのないものは信用できないということだろう。エビデンスもないのに、このシステムが立ち上がり、そのままのかたちで継続している日本の状況のほうがそもそも異常なのである。

また、健診や人間ドックで「異常」を指摘されると、医者のアドバイスによる改善策を始める人が多いだろうが、かえって害のほうが大きくなることを示す調査結果もある。

フィンランド保健局が管理職につく1222人の40~45歳の男性を、

①1974年からの5年間、4か月ごとに定期健診を行い、医者が「適切」な介入をして、血圧やコレステロール値などを管理するグループ（612人）

②①と同じ5年間、定期健診も介入もしないグループ（610人）の2つに分け、15年後の健康状態を調べたところ、介入群の死者は67人で非介入群の死者46人を上回ったのである。特に心疾患死（介入群34人、非介入群14人）と事故や自殺、他殺などの外因死（介入群13人、非介入群1人）では大きな差があった。なお、がん死に関しては介入群13人、非介入群21人と非介入群のほうが多かった。

この調査結果が発表されたのは1991年で、一部のマスコミが「フィンランド症候群」という名で取り上げたりもしたので、当時はそれなりに話題になった記憶はあるが、いつの間にか立ち消えになった。もちろんその後も健診や人間ドックのあり方が見直されたわけではない。それどころか、前述のようにさらに基準を厳しくしているようなありさまである。

がん検診で命が守れるわけではない

がん検診の効果も似たようなもので、がん検診の広がりとともにがんが見つかる人の数は増えているが、高齢化が進行していることと相まって、がんで死ぬ人の数はむしろ増えている。「命を守るためにがん検診を受けましょう」などと言っているが、必ずしもがん検診で命は守れないのである。

がん検診のメリットとされるのは、「症状が出る前のごく初期のがんを発見できる」ということのようだが、がんにはいろいろなタイプがあり、早期に発見して早期に治療することで完治できるタイプのがんは、実は症状が出てから治療したとしても完治できる可能性が高い。

一方で、「超」と言われるほど早期に発見され、早期に治療ができたとしても、結局、再発して結果的に命を落とす人もいる。つまりがんが治るかどうかは、早期に発見できたかどうかよりも、「完治できるタイプのがんかどうか」にかかっているのだ。

こう言っては身も蓋もないけれど、今の医療によって治せるがんは急いで発見しなくても治せるけれど、治せないがんはどんなに早く発見しても治せないのである。

早期発見したことで簡単な治療で済むというメリットがあるのはもともと治るタイプのがんである。ただし、治らないタイプのがんはほとんどが転移性のがんであり、そういうがんはたとえ早期に発見されたとしてもその時点ですでに別の部位に転移している可能性が高い。発見した時点ではどっちのがんかはわからないので、後者のリスクを考えて、手術で病巣は取り切ったと言いながらも、医者は念のために抗がん剤治療を勧めてくるのだ。

どちらのタイプのがんであっても、悪いところは切っておくに越したことはないと多くの人が思い込んでいる、というか思い込まされているけれど、もしもそれが転移性のがんだった場合、かえってよくないことが起きてしまう。原発病巣を手術で刺激してしまうと、メスが入った場所に播種による局所再発が起こったり、転移病巣が急激に増大したりして、急激に病状が悪化することがあるのだ。つい最近まで元気だったのに検診でがんが見つかり、手術したらたった数か月で帰らぬ人に……といったことが起こるのはまさにそのせいだ。

つまりヘタに治療をすることで命が縮まることもあるわけだから、仮にそれが治らないタイプのがんであった場合には、早めに見つかることはデメリットでしかない。発見されたときには手の施しようがないほど悪化していたりすると、「もっと早く発見していれば……」と悔やむ人も多いし、「だからこそがん検診を！」みたいな話になるけれど、早く発見されていたりしたらもっと早くに死んでいた可能性も高く、考えようによっては、最終段階になるまで発見されなかったからこそ、ここまで生きてこられたとも言えるのだ。

「早期発見早期治療」という常識のあやうさ

ここまでの話をいったん整理すると、

①治るタイプのがんは発見が遅くても完治する
②治らないタイプのがんは、ヘタに治療するとがんが悪化する

ということになるのだけれど、それに加えて、

③ほっておくといつの間にか消えるがんもある

これがいわゆる「がんもどき」で、否定する意見も多いけれど、実際にそれが存在するとしか考えられないエビデンスはたくさんある。

実は私の知り合いも70歳をすぎて、病理検査で「乳がん」だと確定診断を下され、当然のように手術を勧められたが、年齢的にも体力的にも全身麻酔のリスクのほうが危険だと思ったので、結局、手術を受けなかった。「そのうち転移して大変なことになりますよ」と医者にはさんざん脅されて、年に一度の定期検診を約束させられたそうだけど、結局、そのがんは消えてしまい、その後、10年以上も元気に過ごしていた。まさにこれが「がんもどき」だったのだろう。

③のタイプのがんはまれだとしても、少なくとも①と②に関しては、がんの専門医であれば誰もが事実として認知していると思う。

だとすると、「早期発見早期治療」というがん治療の「常識」はかなり疑わしくなってくる。遅く発見されても治るがんは治るし、治らないがんは早く治療を始めることで悪化のスピードが速くなる。

それでもこの「常識」が頑なに守られているのは、がんをたくさん見つけて、治療したり手術したりするためである。そうすれば、検診費用も手術費用も稼げるし、おそらく抗がん剤を使うだろうから、医者にとっても製薬会社にとってもありがたい。

今の医療では、発見された時点で、そのがんが①なのか②なのか、あるいは③なのかがわからないので、仮に②のタイプだった場合には、不幸な結果に終わる可能性が高いとしても、①や③のタイプであれば、（当たり前だが）高い治療成績もアピールできる。そうすればまた患者が集まる。

だからこのような「早期発見早期治療」を「常識」とするシステムでうまく回っている医療業界にとってみれば、「がん検診に意味がない」とか、「手術をするとたちの悪いがんは悪化する」といった、「システムを維持するうえで都合の悪いこと」を声を大にして語る、近藤誠のような医者は目の上のたんこぶでしかない。彼は抗がん剤の延命効果にも否定的だから、かつての勤務先である慶應大学病院からも学会からも製薬会社からも嫌われている。彼が言っていることのすべてが正しいかどうかは私にはわからないが、これだけ蛇蝎《だかつ》のごとく嫌われていることは、かえって彼の言い分の正しさを傍証している気がするね。利害に関与している学会の言い分が医療の「常識」となって、自分たちに都合のいいシステムが出来上がっている現状になんらかのメスを入れるには彼のような存在が絶対に必要だと思う。

利害から完全に独立した組織が、検査や治療の有効性を検証して発信するようなシステムを作ることができれば、病気と称して健康な人から金を巻き上げることも、不要な健診システムを強いることも、過剰な介入や手術でかえって人々の健康を損ねるようなことも防げるとは思うのだけれど、利益誘導最優先のシステムがこれだけ強固な日本では、抵抗勢力が多すぎて実現は相当難しそうだ。

ワクチン接種で思考停止に陥る専門家

この原稿を書いている2022年7月、日本は新型コロナウイルス感染症パンデミックの第7波に襲われている。かれこれもう2年半にわたって、患者数は増えたり減ったりしているわけだが、変異を繰り返すウイルスに対し、国や医療業界は状況に応じた対応がまったくできずにいる。

以前はステイホーム一辺倒だったが、ワクチンが開発されて以降はもう完全にワクチン頼みで、オミクロン株に対してはそれがほぼ無力であることに気づいていても、相変わらず「ワクチン接種を！」と呼びかけている。

私は自分の年齢を考慮して、2回目までのワクチンはさっさと接種したが、3回目に関しては今もまだ打っていない。3回目だから打たないということではなく、オミクロン株にはあまり効きそうにないと思ったからだ。今後、オミクロン株に対応したワクチンであれば、状況次第では打つことを検討したい。

しかし、こういうことをSNSなどで言ったりすると、「以前はワクチンを打てと言っていたのに、今度は打つなと言うなんて矛盾している」みたいなことを言ってくる人が必ずいるし、今後、もしもオミクロン株用のワクチンを打ったみたいな話をしようものなら、嘘つき呼ばわりする人も出てくるだろう。

しかし、普通に考えて、状況が変われば言うことややることを変えるのは至極当たり前だ。企業の業績を考慮しながら株を買ったり売ったりするのと同じように、打つほうが得だと思えば打てばいいし、打つ必要がないとか、打つとむしろデメリットのほうが大きいと考えるなら打たないという選択をすべきであって、打つことが常に正しいというわけではない。新型コロナウイルスに関しては、今もなお謎の多い未知なウイルスで、その全貌がわからないのだから、国も医者もそして個人も、状況に応じた臨機応変な姿勢が必要になる。

感染症専門医の岩田健太郎は、コロナ感染拡大のごく初期のころは、「サイエンティフィックなエビデンスとしてマスクはあまり役に立たない」というようなことを言っていたが、あるときから「飛沫感染予防にマスクは有効だ」と主張を変えた。そのせいで、「岩田の話はコロコロ変わるから信用ならない」と文句を言う人もいたけれど、それまでと異なる事象が目の前にあって、それを科学的に判断したときに答えが変わるというのは科学者として当然の振る舞いである。そういう意味ではむしろ一貫性にこだわる科学者のほうが信用できないし、Aと決めたらただひたすらそれを金科玉条のごとく守るという、今の日本のやり方も科学としては間違っている。

感染経路も、最初のころは飛沫感染と接触感染が主で、空気感染はないとされていて、飛沫感染を避けるためになるべく人との距離を取ることや、あるいは接触感染を防ぐために、アルコール消毒の徹底を推奨していた。しかし、今では接触感染する確率はごく小さいことがわかってきている。そうなるとスーパーに出入りするたびにアルコール消毒をする意味はあまりないし、皮膚が弱い人にとってはデメリットのほうが大きいと思うが、そういう話はあまり報道も議論もされないようだ。

空気感染をするのだとすれば、部屋の換気をよくするのが感染を防ぐ王道で、そうなると、飛沫感染を防ぐためにアクリル板で仕切るのはかえって換気を妨げることになる。だからむしろ外すべきだと思うのだが、テレビ局の収録や飲食店では、今でもアクリル板が立てられている。こういうバカの一つ覚えのようなやり方では、とてもじゃないが変化し続けるウイルスに対応などできないだろう。

新型コロナウイルスの真の専門家はまだいない

テレビなどでは、最初からずっと同じ顔ぶれの感染症の専門家たちがあれやこれやと話をしているらしいが、厳密にいえば出現してたいした時間がたっていない新型コロナウイルス感染症の真の専門家なんていうのは世界中どこを探してもいない。だから専門家という肩書で出てくる彼らも結局、一般的な感染症になぞらえた話をしているにすぎないのだ。ワクチンにしたって開発したてで、本当に安全なのか、思ったより危険なのかはまだよくわかっていないのだから、専門家と呼ばれる人の言うことを聞けば、必ず安全という保証などどこにもないのである。

一方で、日本においてもすでに累計感染者数は1000万人をはるかに超えているのだから、その人たちの膨大な「データ」から浮かび上がる実態は必ずある。

実際に感染した人に関して、例えば、

1. 年齢や既往症
2. ワクチンの接種状況
3. ワクチンを打ったときの副反応の有無やその程度
4. ワクチンを打ってから感染するまでの期間
5. ワクチン接種者と未接種者の、感染したと思われる日から症状が出現するまでの期間の比較
6. 同じく症状の程度の比較
7. 同じく軽快するまでの日数の比較

8．同じく後遺症の有無とその期間の比較
9．同じく死亡率の比較

などの統計をきちんと取って逐一公開すれば、それは、国民にとって貴重な情報になる。つまり、そういう情報と自分の状況を照らし合わせることで、やはり自分はワクチンを打ったほうがいいとか、ワクチンは打たずに人と会うのを極力避けるほうが安全そうだとか、あるいは、過剰に心配する必要はないとか、それぞれ自分で判断することだってできるはずなのだ。少なくとも今の時点では、真の専門家ではない専門家の意見より、データのほうがよほど信用できる。

厚労省や東京都は3回目接種の合理的なデータをなぜ見せない!?

ところが、厚労省の「データからわかる新型コロナウイルス感染症」というページを見ても、感染者数の推移だとか、重症者の推移だとか、死亡者の推移だとか、そういう増えた減ったの話しかない。感染者自身の背景がわかるものは、性別・年齢別の陽性者数、重症者数、死亡者数くらいである。ブレイクスルー感染に関する具体的なデータは見当たらず、少なくとも感染者のうちのどれくらいがブレイクスルー感染なのかすぐにわかるようなものを見つけることはできなかった。

東京都の「新型コロナウイルス感染症対策サイト」では、患者のワクチン接種状況は「接種なし」「1回接種」「2回接種」「不明」の区分しかなく、不思議なことに3回目、4回目の接種状況は2022年8月8日の時点で開示されていない。2回目まで接種した人が全人口の約8割に達している今、多くの人が迷っているのは3回目、あるいは4回目の接種をするかどうかなのに、こんなに的外れで中途半端なデータだけではなんの判断もできないではないか。

3回目、4回目の接種をするかどうかを判断するのに本当に必要なのは、2回目までしか打ってない人と3回目まで、あるいは4回目まで打った人で比較した場合、死亡率や症状にどれくらいの差があるのかというようなもっと踏み込んだデータである。そのような詳細なデータがあれば、3回目、4回目のワクチン接種をするかどうかの判断の参考になる。

ところが、実際にはそういうデータが公開されていないので、結局は専門家たちの「印象」がまるで事実であるかのように報道される。印象はあくまでも印象であって、事実ではないが、多くの人はそんなことには気づかない。印象ほど怪しいものはないと私は思うが、専門家の肩書をもった人たちが、「3回目まで接種した人はワクチン未接種の人に比べると総じて症状が軽いようです」みたいなことを言えば、やはり3回目のワクチンを打つべきかもしれないと考えてしまう人も大勢いるだろう。

エビデンスを示さなければ、それが合理的な判断かどうかなどわからないはずなのに、専門家が発した言葉というだけで簡単にミスリードされてしまうのである。

データを開示しない厚労省の本音

詳細なデータを公表しないのが、そもそものようなデータを取っていないのが理由であるなら、厚労省は相当いい加減だと言わざるをえないが、もしかすると、何か都合の悪いことがあって隠しているのではないかと私は疑っている。

ワクチンを大量に確保している政府や厚労省としては、それがこのまま期限切れになってしまうと廃棄するしかないわけで、そうなると膨大な金をムダにしたということで責任問題になりかねない。だからなんとしても打ってもらう方向にもっていきたいというのが本音だろうから、3回目、4回目のワクチン接種を躊躇させるデータを意図的に隠している可能性があると思う。

感染者数の変化を見れば、確かにデルタ株まではワクチンを打つことで感染も発症も重症化も抑えられていた可能性が高い。しかし、感染者数が激増している状況を見れば、すでに2回目ワクチンの効果が薄れてきていることは容易に想像できる。しかしオミクロン株の場合はスパイクタンパクが従来の株から大幅に変異しているのだから、従来株のスパイクタンパクを無効化するためのワクチンは免疫の原理からいっても効くとは思えないし、東京大学医科学研究所ウイルス感染部門の河岡義裕特任教授らの研究結果などからも、現行のmRNAワクチンではオミクロン株に対する効果が低くなっていることが明らかになっているので、わざわざ3回目、ましてや4回目のワクチンを打つ合理的な理由は見当たらない。

多くの専門家たちは「それでも重症化を防ぐ効果は期待できる」などと連呼しているが、オミクロン株はデルタ株などに比べて重症化しにくいことは専門家自身も認めているわけだし、そもそも重症化のリスクが低い若い人たちは副反応が強いワクチンを打つメリットはないと考えるのが自然だろう。なかには「高齢者に感染を広げないために」といったワクチンの一般的なメリットを持ち出して、ひたすらに接種を促すメッセージを発信している専門家もいる。

データを冷静に分析すれば、ワクチンで亡くなった人は相当数いる

ワクチンが安全ならば、たいした効き目はないとしてもおまじないだと思って打てばいいわけだけれども、副作用が強く出る人も多いのだから、打つメリットとデメリットを勘案して、打つか打たないかを決める必要がある。しかし、とにかくワクチンを打たせたい厚労省は、一般の人がメリットとデメリットを自分で考えるためのデータを提供するつもりはないようで、接種後の死亡事例が、本稿執筆時点で12歳以上は

1700件以上、12歳未満で1件報告されているにもかかわらず、ワクチン接種との因果関係は不明だと言い張って、公的にはワクチン接種が原因で亡くなったと認定された人はたった一人というデタラメな話になっている。

そもそも新型コロナウイルス感染症の感染者数や、それが原因で亡くなった人の数ならいくらでも調べられるのだけれども、ワクチン接種後に亡くなった人の情報はネットで調べてもなかなか見つからない。これはもう、隠蔽バイアスがかかっているとしか思えないな。

ただ、「超過死亡数」のデータを見ると、ワクチン接種が原因で亡くなった人の数もある程度は推測できる。「超過死亡数」とは、ある特定の集団の死亡数が例年より増えた分である。大規模な自然災害、パンデミック、戦争などが原因で、例年の想定よりも大幅に死亡数が増えることがある。

コロナ禍が始まった2020年には、新型コロナウイルス感染症で亡くなった人が約3400人いたが、総死亡数は、コロナ禍前の2019年に比べて約8400人減少しており、新型コロナウイルス感染症以外での死者は約1万1800人も減少している。自粛生活の影響で、新型コロナウイルス感染症以外の感染症患者が減ったのが原因と見られ、実際、肺炎の死者数は約1万7000人減少した。

ところが、2021年になると総死亡数は前年に比べて約6万8000人も増えている。そのうちの約1万7000人は新型コロナウイルス感染症で亡くなっているので、これは超過死亡の理由として合点がいくが、残りの5万1000人分はいったいなぜ増えたのだろうか。

一つの可能性として考えられるのは、本当は新型コロナウイルス感染症で亡くなっていたのに、検査を受けておらず、新型コロナウイルス感染症の死者数に加えられなかった人が相当数いるということだ。例えば、老衰による死者が約2万人増えているのは、この人たちの中には新型コロナウイルス感染症で亡くなった人も含まれていると考えられる。

しかし、だとすれば、2020年も同じ傾向があっても不思議ではないのに、前述のとおり、新型コロナウイルス感染症以外とされる死者は前年比で1万1800人も減少しているし、老衰による死者は増えてはいるが、増加数は1万人である。

２０２０年と２０２１年は、新型コロナウイルス感染症での死者数には差があるが、コロナ禍という意味では状況はよく似ている。唯一違うのは、２０２１年２月以降にワクチン接種が本格化したことである。老衰の死者数を差し引いた超過死亡３万人は、ワクチンを打ったことがなんらかのかたちで影響した死亡である可能性は高いと思う。さらに２０２２年１〜３月の死者数も２０２１年の同じ期間に比べて３万８０００人ほど増えているが、この期間の新型コロナウイルス感染症による死者は９７００人である。残りの約２万８０００人はワクチン接種が原因で亡くなったのかもしれない。

少なくとも、総死亡数が増加したこととワクチン接種が無関係だとは到底考えられないわけで、報告されている接種後死亡１６００件を遥かに上回る人が、ワクチン接種の影響で亡くなっていることは間違いないと思う。

２類→５類という現実的な選択を阻む「無謬性の原則」

２０２２年夏、第７波の影響で日本の新型コロナウイルスの感染者数は過去最多を更新している。第7波以降にどのような状況が待っているかはまだわからないが、毒性が強くなっているというデータはないし、重症化率や死亡率が上がるとは考えにくい。また、これだけ感染者が増えているのは、ウイルスの特性にだけ原因があるのではなく、人々の警戒心が薄れてきている証左であろう。人間が危機感や緊張感を持ち続けられる時間には限界がある。これ以上の行動制限は国民に多大なフラストレーションがたまるので、感染拡大を物理的に止めるのはもはや難しい局面になっている。無症状とか軽症の患者数も含めた陽性者数を数えることにもはや意味はないように思われる。それらのことを勘案すれば、ただの風邪とまではいかなくても、少し重いインフルエンザくらいの扱いにすべきタイミングを迎えているのではないだろうか。

2類相当の指定感染症という位置付けから外し、季節性インフルエンザと同じ5類に引き下げれば、一般の病院でも患者の受け入れが可能になるので、少なくとも感染者の増加に伴う医療のひっ迫はすぐに解消される。このような主張はもうだいぶ前から各方面の専門家から上がっているし、行政がそう決断すればいいだけの話なのだけれど、なんだかんだで一向に話が進まない。いろんな利権のからみで2類相当にしておくほうが都合のいい人が強く反対しているというのが一番の原因だろうが、そもそもの原因は、刻々と状況が変わり続ける事態でさえ、頑なに「無謬性の原則」を守ろうとする日本の政治のやり方にある。

30ページでも述べたが、「無謬性の原則」とは、「ある政策を成功させる責任を負った当事者の組織は、その政策が失敗したときのことを考えたり議論してはいけない」という日本政府や官僚に染みついた大前提である。仮にこのタイミングで5類に引き下げていろんなことがうっかりうまくいってしまうと、「かつて5類に引き下げることに反対したことが間違いだった」と認めざるをえなくなるので、それを徹底的に避けようとしているわけだ。「さっさと5類にしておけばこんなことにはならなかったのではないか」と批判されて、以前から5類相当にすべきと主張していた人たちの軍門に下るのが、どうしても嫌なんだろうね。

前に決めたことが「無謬」（誤りがない）だってことにするためには、絶対に「変えないこと」を貫くほうがいい。そうすれば「5類に引き下げたら何が起こるのか」は仮定の域を出ることはないので、比較されることはないからだ。

濃厚接触者の隔離期間を短縮するなどの中途半端な対応で、なんとかこのままやり過ごしてうまく感染が落ち着けば、「やはり2類相当の指定感染症から外さなかったのは正しかった」と胸を張ることができる。こういう、自分の身の安全を守るための思考パターンが日本の政治家とか、そこに与する専門家に染みついているわけだ。

エビデンスにもとづいた柔軟な対応こそが科学的な態度であり、そのための助言とか警告をするのが本来の専門家の役割だ。しかし、今の政治に寄り添うのは、上からコントロールされた多様性のない専門家ばかりで、このままでは日本はいつまでも状況の変化に対応することができない非科学的な国家から脱することができないと思う。

パンデミックそのものは遅かれ早かれいつかは終わる。だから私はそれについてはあまり悲観していない。しかし、次のパンデミックは必ず来る。今のままでは、そのときも今回と同様のドタバタ劇が演じられる可能性が高い。情けない国に生きているとつくづく思う。もっとも、それまで私は生きていないかもしれないけどね。

第5章
真っ当な専門家がいなくなるこの国の病

多様性なき日本の教育システムでは「専門家」は生まれない

ここまで述べてきたように、今や多くの専門家たちは権力に取り込まれ、行政や官僚、あるいは大企業などが損をするようなことをあえて言いたがらなくなっている。もちろん、そうではない専門家もいるけれど、マスコミも利権と結びついているから、そういう人たちはどうしたってパージされる。

専門家に限らず日本人は、上に順じることに安心感とか居心地のよさを感じる傾向が強い。唯一、安保闘争のときだけはそのタガが外れたけれど、1999年以降の自公連立政権は、家畜化教育政策を強硬に推し進めていったので、この教育システムで育った若者はより従順になり、科学のさらなる巨大化と相まって、結果的に飼い慣らされた画一的な専門家ばかりが増えていくことになった。

こういう状況は権力にとって、短期的にはものすごく都合がよかったのかもしれないが、これは同時にイノベーションを起こすような人材を排除するシステムなので、日本の技術力や国力は著しく低下していった。円安がどんどん進行している直接のきっかけは、日本の金利が極めて低いなかでアメリカが金利を引き上げたことだと言われているが、実際問題としては単に日本という国が信用されなくなっていることの証拠だろう。これまではどこかの国で紛争が起こるたびに、信頼できる円に金が流れてきて、円高になるのが普通だったけれど、今回のウクライナ侵攻ではむしろ円安になっていることからも、世界から見た日本の評価は凋落しているのだと考えたほうがいい。

2020年からは、「急激に変化する社会を生き抜くため」の教育改革が実施されているようだが、一律の改革では、「似たような感性の若者」が生まれるだけだ。多様性の担保なくしてイノベーションなど起こりようがないのに、「ゆとり教育がよさそうだ」となったら全国津々浦々でそれをやって、「やっぱりゆとりじゃダメだ」となると一貫して脱ゆとりに、みたいなやり方を繰り返しているだけでは、抜本的な改革にはならないし、多様性など生まれるはずがない。

こういう教育がいい、ああいう教育がいいといろんな意見を言い合う教育の専門家は、自分のやり方こそがベストだと主張するばかりで、そっちのやり方にもいいところがありますね、というふうに許容できる人は少ない。「これからは多様性が大事」などと言う人は多いけれど、そういう人に限って自分自身はまるで多様性を受け入れていないなんてことがよくある。こういう人の多様性は、枠組みの中だけの多様性だ。枠そのものの多様性というのは、ハナから考えていないのだ。

例えば、児童生徒にあまねくスポーツをさせようと考えている人がいるとして、特定のスポーツだけでなく、さまざまなスポーツを認めることが多様性だというところで思考が止まって、その枠の外にある「スポーツなんて学校教育に必要ない」という考えは拒否するのだ。これでは多様性の尊重とはとても言えない。そういう人が権力を握って日本の教育行政を牛耳っているので、結局ある一つのやり方だけが採用される。「学校ごとに独自のやり方でやってもいいんじゃないか」という意見は絶対に通らない。どういう教育がうまくいくかなんてことはやってみないことにはわからないわけで、いろいろ試してみればいいのに、と私は思う。

自然科学の分野なら、現時点においてもっと現象整合的な理論はとりあえずこれだというのはあるけれど、人文系とか教育系、そして政治の分野などは、どれが現象整合的で、未来をうまく予測できるかは簡単にはわからない。ある理論にもとづいた政策がうまくいったのかどうかがわかるのはずっと後のことだ。

だからこそ、いろいろ試してみることは大事であって、教育でも自治体ごとにやり方を変えてみるのもいいし、学校単位で変えるのもいい。そうすれば、あとで比較検証することができるので、そこで初めて「どのやり方が、最も望む結果をもたらしたか」がわかるだろう。

まあ、そのような検証をされたくないからこその「一律」であるのは見え見えだ。全国津々浦々同じことをやっていたら、別のやり方だったらもっとうまくいっていたはず、みたいな話にはならないわけで、そうすれば誰も責任を取らずに済むからね。

ジャガイモを育てて食べて食中毒を繰り返す愚

文科省が同じ改革を強制することは、教える側の多様性を許容しないことをも意味している。

小学校で自分たちで育てたジャガイモを食べた児童たちが食中毒を起こしたというニュースを毎年のように耳にするが、きっと理科の授業で「ジャガイモの育て方」を勉強することになっていて、家庭科の授業などでそれを使ってカレーかなにかを作っているのだろう。

知っている人も多いと思うが、ジャガイモの発芽部分や日光に当たって緑色に変色した皮の部分にはソラニンという有毒物質が含まれている。未成熟の小さなジャガイモや、成熟はしていてもジャガイモの芽や緑色の皮を食べると食中毒症状を起こすこともある。そしてそのほとんどは、どうやら家庭や飲食店ではなく小学校で起きているようなのだ。

なんとなく気になって調べてみたところ、やはり私が想像していたとおりのことが小学校で行われてきたようなのだ。しかも驚くべきことに、2021年から始まった新学習指導要領で小学校の家庭科の内容が改訂され、これまでは単に「野菜」とだけ書かれてゆでる調理の題材が「ジャガイモと青菜」に限定されることになったのだという。ゆでる野菜の種類まで決めつけるなんて、画一化教育は「変わっていない」というレベルではなく、むしろひどくなっているではないか。

もちろん買ってきたジャガイモでもいいのだろうけど、新たな指導要領では教科の枠を超えた横断型授業とやらも強制されているようなので、ジャガイモを使えと決められている家庭科と何かの科目をつなげようとすれば、教師たちのほとんどは「理科の授業で自分たちがジャガイモを育て、それをゆでて食べる」という選択をすることになるだろう。同じ事故が繰り返されているなか、食中毒のリスクを冒してまで、ジャガイモを強制する理由も、その指示に素直に従う教育現場の姿勢も私にはまったく理解できない。

「なんでジャガイモなんですか？」と子どもに聞かれたら、教師はきっと「そう決まっているからです」などと答えるのだろうね。「自分はサツマイモを育てたい」なんてことを言いだすような子は邪魔でしかないわけで、子どもに多様性を認めることとは真逆のことを平気でやっているわけだ。その結果、イノベーションを起こすような個性的な人間は育たなくなるだろうから、日本はますます衰退する。それでも今回の改革を推し進めた教育の専門家たちは責任を取るつもりなどないのだろうね。

世界競争力ランキングが下がり続けるのも納得

新しい技術は、蓄積された技術をベースに、人力、知力、そして資本を注ぎ込むことで実現する。ところが今の日本にはそれらすべてが欠けているため、その技術力は衰退の一途をたどるしかない。

かつて、経済大国の名を欲しいままにした日本の国力は、近年、年ごとに衰えており、スイスにある世界トップクラスのビジネススクールであるＩＭＤ（国際経営開発研究所）が２０２２年6月15日に発表した「世界競争力ランキング」では、日本の総合力は世界34位と前年の31位からさらに3つも順位を落とした。このランキングは主要63か国を対象に、「経済状況（Economic Performance)」「政府の効率性（Government Efficiency)」「ビジネスの効率性（Business Efficiency)」「インフラ（Infrastructure)」でそれぞれ評価を行い、それらを総合したものを、競争力として数値化したうえで決められるものだ。

ＩＭＤがランキングを公表し始めたのは１９８９年で、１９９２年までの４年間、

世界競争力ランキング

2022	2021	国・地域
1位	3位	デンマーク
2位	1位	スイス
3位	5位	シンガポール
4位	2位	スウェーデン
5位	7位	香港
6位	4位	オランダ
7位	8位	台湾
8位	11位	フィンランド
9位	6位	ノルウェー
10位	10位	アメリカ
11位	13位	アイルランド
12位	9位	アラブ首長国連邦
13位	12位	ルクセンブルク
14位	14位	カナダ
15位	15位	ドイツ
16位	21位	アイスランド
17位	16位	中国
18位	17位	カタール
19位	22位	オーストラリア
20位	19位	オーストリア
		⋮
34位	31位	日本

出典：IMD World Competitiveness Ranking

日本は実は1位だったのに、1997年以降は急落して、以後15位以上になったことはない。21世紀に入ってからはほとんど20位台に低迷しており、2019年以降は30位台にまで落ちてしまった。

このランキングが示す競争力は、経済規模の大きさや国際的に活躍している企業の数ではなく、企業が競争力を発揮できる土壌という観点から評価されるものなので、現在の経済状況というよりも、むしろ近未来の経済状況がどうなるかの予測という意味合いが強い。

つまりランクが低いということは、未来の経済状況が明るくないことを示しているのだ。このランキングですでに台湾、マレーシア、タイ、韓国といったアジアの国々に後れを取っているということは、それらの国々にリアルな経済でも太刀打ちできなくなるのも時間の問題ということなのだろう。

多くの日本企業は、海外で開発されたものを持ち込んで、それをただ売ることだけで存続しているし、新型コロナウイルス感染症のワクチンだって、自国でいまだ商品化に至っていない先進国は日本くらいのものであることを考えると、技術力の衰退は相当深刻だと思う。実際、かつて日本の強みとされた「研究開発力」に対する評価は大きく低下している。

状況の打開に必要なのは汎用型AIか

このような状況は、単に国が貧しくなるというだけでなく、国家安全保障の観点からしても大問題だ。世界各国から日本には何も売らないって話になったら、日本は詰んでしまうと思う。ロシアみたいに自国内でエネルギーとか食料を調達できる国なら多少孤立してもなんとか生き延びられるだろうけど、日本の場合は、エネルギーも食糧も、技術もそしてワクチンも国内で必要量を確保できないのだから。憲法を改定して戦争をできるようにしようなんて、いったいどこのバカが考えているんだって話だ。

技術の蓄積のない国に成り下がってしまうと、そこから這い上がるのは相当むずかしいと思うけれど、いつまでも後追いしているだけじゃお先真っ暗なのだから、どこから立て直すべきかをもっと真剣に考えたほうがいい。

唯一、ゲームチェンジの可能性があるのは、特定の用途や目的に限定せず、自律的に思考・学習・判断・行動する汎用型ＡＩの開発に成功することだろう。これがうまくいけば、世界の覇権を握るのも夢ではない。

結果が出るまでに時間がかかる教育改革などではとても間に合わないので、1兆円くらいの予算をかけ、理系の特殊な才能をもった人間を集めてきて、高給を支給するようなプロジェクトを遂行してはどうだろうか。

いちばんの問題は人選で、科研費と同じように文科省と学会のボスが選ぶのでは、上の命令をよく聞く優等生しか集まらないので、これはNGだ。面接とか書類選考とかなしで、数学や物理の難問を解かせて上から順番に採るとか、何かやり方を考えないとダメだな。とにかく常識にとらわれない研究者を集める必要がある。そして、そういう連中こそが結果として日本を救うのだと思う。

核武装を持ち出す軍事専門家の笑止

国家安全保障という話になると、軍備をどう増強するかというところにばかり関心が向きがちだが、軍事的脅威に対する手段を講じることだけが安全保障ではない。そもそも戦争なんてしないに越したことはないし、ヘタに軍備を増強すればかえってややこしい話になる。ウクライナだって、ロシアからの防衛のためにNATOに入ろうとしたせいで、ロシアに侵攻する口実を与えてしまったという面もないわけではない。もちろん、ロシアのやってることはむちゃくちゃだけどね。

日本も憲法を変えて、核武装をしたほうがいいなどと言っている政治家や軍事専門家もいるけれど、それをした瞬間に、中国に日本を攻め込む口実を与えることになる。

日本は国連憲章で定められた敵国条項の対象国だから、戦争準備を始めたと例えば中国が考えた場合は、安保理の許可なく軍事制裁を課すことができるのである。この条項は死文化されたということになっているが、いまだに正式には削除されていないので、中国はこの条項を盾に日本が戦争準備を始めたという口実さえあれば、日本に侵攻することが可能なのだ。

逆に改憲や核武装をしていないのにいきなり侵攻したりすれば国際的には言い訳が立たないことはわかりきっているわけで、普通に考えれば侵攻はありえない。そうなると核武装などしないほうが、防衛上は安全なわけで、軍事力の増強などに莫大な金を使うくらいなら、技術力の立て直しを図るほうに金を回して、国力を少しでも回復させることに尽力するほうがよほど国民の幸福に資すると私は思う。

ウクライナ侵攻を決めたプーチンは恐らく、国力とは軍事力と国土の大きさだという、いわば「19世紀的幻想」にとらわれていて、ウクライナを完全に占拠するか、ロシアの意のままになる傀儡《かいらい》政権を打ち立てて、ロシアの影響が及ぶ範囲を拡大することこそが、かつての超大国に戻る道だと考えているのだろう。しかし、今や世界はIT時代に突入しているのだから、国力にとって軍事力は一部でしかなく、国民の知力と経済力こそが国力の源泉なのだ。

そういう意味でいえば、IT技術者などの優秀な人材はすでにかなりの数がロシアを離れているらしいから、今後ロシアを待ち受ける未来は惨憺たるものとなるに違いない。仮にウクライナを武力で制圧しても、ウクライナ人民の恨みと国際的孤立を招いたうえに、さらには国力まで低下して、ロシアは得るものより失うもののほうが大きいことは自明であろう。

地震大国、天文学的な被害額……合理的に考えて「原発はゼロ」

国家安全保障の話になったところで、エネルギー戦略についても、私の思うところを述べておきたい。

日本は多くの老朽化した火力発電所を休廃止した結果、電力のひっ迫が深刻化している。岸田文雄首相は、2022年7月14日の記者会見で、「原発を最大9基、火力発電所を10基稼働させて、この冬の電力供給を確保したい」と述べていたが、日本のような地震大国で原発を稼働させるのはあまりにリスクが大きすぎて賛成できない。ヨーロッパ諸国のほとんどは、ユーラシアプレートに位置していて、地盤が安定しているので、例えばフランスなどは原発を推進している。

一方、ヨーロッパでも例外はあり、ユーラシアプレートとアフリカプレートの間に位置するイタリアや、ユーラシアプレートと北米プレートの境にあるアイスランドは、地震大国かつ火山大国である。

そのせいで、イタリアは1987年のチェルノブイリ原子力発電所の事故を受けてすべての原発の運転を停止し、その後一切動かしていない。2018年時点での電源構成比は化石燃料が60%、水力が17%、その他の再生可能エネルギーが23%である。再生可能エネルギーの内訳は太陽光8%、風力6%、地熱2%、バイオマス等7%であり、火山大国にしては地熱の割合は多くないようだ。

一方、アイスランドでは電源はすべて再生可能エネルギーで、地熱が20〜30%、残りは水力である。地熱は、電力ばかりでなく家庭用の暖房や給湯にも使われており、暖房費は石油を使う場合の4分の1だという。人口が37万人とごく少ないということもあるが、自然の恵みを上手に使っているのは間違いない。

日本に地震が多い理由は地質学的にも明らかで、日本列島に沿ってプレートの境目が縦横に走っているからだ。東方の太平洋プレートと西方のユーラシアプレートの間に、北方からは北米プレートが、南方からはフィリピン海プレートが入り込み、とにかく至るところが地震の巣なのである。

例えば、2011年の東日本大地震は太平洋プレートと北米プレートの境目に当たる三陸沖の太平洋で起きたし、2030~2040年にまず間違いなく起こると考えられている南海トラフ地震は、フィリピン海プレートとユーラシアプレートの境目にあたる紀伊半島沖から四国沖で発生すると予想されている。

福島第一原発事故の収束のめどさえ立っていないのに、さらに何基もの原発を動かそうというのは、正気の沙汰とは思えない。安全だと言い張ったとしても、一度、大事故を起こしたときの悲惨さは、他の発電施設の比ではない。

確かに、短期的には発電単価も安いのでコストパフォーマンスは高いだろう。しかし、それは自動車を運転するのに自賠責保険をかけないほうが安上がりだというのと同じ理屈だ。もしも事故が起きてしまえば、トータルの発電単価は天文学的な数字になる。

確率的に大地震は必ず起き、それに随伴して原発事故が起きる蓋然性も高い。今日も明日も明後日も大丈夫だと言っても、50年後まで大丈夫だという保証などないのである。「喉元過ぎれば熱さを忘れる」ということわざがあるが、福島第一の事故はまだ喉元さえ過ぎていない。原発を動かさなければ、国民が生きていけないというわけではないのだから、本当に国民の安全を考えるのであれば、「原発ゼロ」を前提に、エネルギー戦略を見直すべきだと私は思う。

原発、再エネよりも火力発電を選ぶべき理由

現在の日本の電源構成は、２０２０年の統計で見ると、化石燃料が76・３％で、内

訳はLNG39・0%、石炭31・0%、石油6・3%である。原子力は3・9%、再生可能エネルギー19・8%で、内訳は水力7・8%、太陽光7・9%、風力0・9%、地熱0・3%、バイオマス2・9%だ。第2章でも述べたように、ドイツは2022年をもって、電源構成比12・8%を担っていた原発をすべてやめて、他のエネルギーに切り替えると宣言しているわけだから、わずか3・9%の日本が他のエネルギーに切り替えることができないはずはない。

政府はSDGsの追い風もあって、太陽光や風力に力を入れているようだが、太陽光発電には、広大な敷地が必要で、1メガワット(1000キロワット)の出力の発電所を設置するのに、1~2ヘクタール(1万~2万平方メートル)の面積が必要である。風力発電所はさらに広大な面積が必要で、同じ出力を出すのに太陽光発電のさらに3・5倍の面積が要る。原子力発電所はこれらに比べ同じ出力を出すのに太陽光発電所の100分の1の敷地面積で済むが、火力発電所ならさらに狭い敷地面積で事足りる。

日本のように狭い国土で、太陽がよく当たる場所にメガソーラーを大量に設置するのは国土の有効利用の観点からしても賢くはない。食料自給率がカロリーベースにして37％しかないのだから、穀物を作って備蓄しておいたほうが安全保障上はずっと賢いと思う。また、これも第2章で述べたように、太陽光発電や風力発電の発電量が安定しないという欠点もある。

電力は送電線が長くなればなるほど途中で減衰してしまうので、発電所はなるべく電力消費地の近くに建てたほうが効率がいい。その点、火力発電は原子力やメガソーラーや風力と違って立地条件を選ばないので、消費地の近くに建てることができ、その分コストパフォーマンスがいい。

多くの人が問題にするCO_2の排出に関しては、人為的地球温暖化説はウソだと思っている私としてはたいした問題ではないのだが、仮にそこに問題があるとしても、最近の火力発電は見違えるように進歩して、CCS（Carbon dioxide Capture and Storage）にも実用化のめどが立ってきている。CCSとはCO_2の回収・貯留のことで、火力発電所から排出されるCO_2をトラップして地下に貯留し、大気中に放出されないようにすることだ。この技術が進歩して安価に行えるようになれば、人為的地球温暖化を信じる人たちも、石炭火力発電を忌避する理由はなくなるだろうから、原子力発電をやめて、火力発電に全面的に切り替えることが可能になる。

日本のエネルギー政策の要諦はオーストラリア

エネルギー供給の安全保障上、頭においておくべきなのは、火力発電の原料をどこから輸入しているかということだ。ドイツはロシアから天然ガスを大量に買い付けていたせいで、未曽有のエネルギー危機に陥っていることからしても、輸入先の国との関係はとても大事だということがよくわかる。

まず天然ガスの最大の輸入先は2020年の統計によれば、輸入量の37・2％を占めるのがオーストラリアだ。次いでマレーシア13・7％、カタール11・9％、ロシア8・4％、アメリカ8・1％、ブルネイ5・3％、パプアニューギニア4・5％である。天然ガスの輸入においては、日本がロシアのウクライナ侵攻に際して大きなダメージを受けなかったのは、ロシアにあまり依存していなかったせいだろう。

次に石炭の輸入先を見てみると、ここでもオーストラリアが断トツの68・2％。つまり大半をオーストラリアに依存していることがわかる。次いでロシア14・7％、インドネシア11・5％、カナダ3・1％、アメリカ2・3％である。石炭の可採埋蔵量でトップのアメリカが少ないのは、いざというときのために石炭をあまり輸出するつもりがないからかもしれないね。

これら2つのデータを見ると、日本がこれからも火力を主たる電源とし続けるためには、オーストラリアとの良好な関係を続けることが、とても大事だということがよくわかる。今のところ、特に揉めるようなことは起きていないが、自分たちの安全のためにも、この国との関係性は常に気にしておくほうがいい。

ちなみに電力源としてはあまり重要ではないが、原油の輸入先のトップはサウジアラビアの42・5％、次いでアラブ首長国連邦の29・9％で、この両国だけで70％を超えている。電気自動車がもてはやされているが、ガソリン車やハイブリッド車のほうが遥かにコストパフォーマンスがいいので、原油の重要性はこれからも続くだろうし、そう考えるとこの両国との関係悪化は絶対に避けなければならないということだ。

地熱発電に舵を切らない不思議

アイスランドでは地熱発電が盛んだという話をしたが、日本も火山国であることを考えれば、本来なら地熱発電に向いているはずなので、地熱の開発にはもっと積極的になっていいと思う。現在は電源のわずか0・3%で、再生エネルギーの中でも低位に甘んじているが、アイスランドで利用されている地熱発電のインフラは日本の技術を使っているので、日本でも地熱発電の電源構成比を2桁には上げられると思う。

日本の地熱資源はアメリカ、インドネシアに次いで世界第3位であるが、立地条件のいいところが開発の規制を受ける国立公園だったり、あるいは温泉が枯渇するという危惧から温泉事業者たちが反対したりして、なかなか開発が進まない。地熱資源保有国で第8位のアイスランドが利用している地熱エネルギーは約750メガワットであるのに対し、第3位の日本が利用しているのは500メガワットにすぎない。

日本の地熱資源量からして原発20~25基相当の発電が可能と試算されているが、今のところ開発は遅々として進まない。原発より地熱発電のほうが安全なのは明らかなのだから、政府はなぜ温泉事業者を説得して地熱発電の推進に舵を切らないのか不思議だ。そういう主張をしている専門家がいないはずはないと思うのだけど、それを受け入れないのには何か深い（怪しい）事情があるのだろうね。

少子化対策の最大のキモは経済対策しかない

少子化対策を担う野田聖子内閣府特命担当大臣が、あるテレビ番組で「人口減少が日本の安全保障に不備を生みかねない」との認識を示したという。警察や消防、自衛官が人口減の影響を受けているとのことらしいが、それらの仕事の成り手がいないことが、人口減のせいだというのはなんだかこじつけのような気もするね。

それはともかく、政府としては結婚支援とか子育て支援などで少子化を食い止めようとしているようだし、同じ番組で、野田大臣は、「人口や若年層の数が増えれば海外から日本に投資を呼び込める」と言ってたらしいが、そんな考えはどうみても甘いわけで、人を増やせばそれでいいわけでは決してない。不況下でむやみに子どもを増やせば、その子が20歳になったときには仕事がないなんてことにもなりかねない。

子どもが増えるかどうかは経済と連動しているのだから、とにかく景気がよくならないことにはどうしようもない。最低賃金が上がり、それに伴って所得が増えれば、少なくとも今よりは多くの人が子どもを生む気になるはずだ。出会いの場を提供するとか、子育てを手伝います、みたいな話より先に、やることはいっぱいあると思う。

景気をよくするためには、低賃金のビジネスモデルを根本から見直して、国民の購買力を上げる必要があるのだけれど、そこに至るには時間を要するだろうから、まずは所得の低い非正規労働者に金を撒くようなことを検討すべきだろう。もっとも、もう少したてばAIが発達して労働力を肩代わりしてくれるようになるだろうから、少子化はむしろ望ましいということになりそうだけどね。

庶民の敵「消費税」を廃止しない金持ちの専門家

それより手っ取り早いのは、なんといっても消費税の廃止である。せめて生活必需品だけでも廃止すれば、使えるお金はだいぶ増える。消費税を19%にするなんて話もまことしやかに囁かれているが、そんなことをすれば家計が破綻する人が続出するに違いない。

1000万円の車を買おうとする人にとっての190万円と、100万円の車を買うのがやっとという人にとっての19万円では、その重みがまるで違うのだから、経済格差を解消するためには、高いものほど税率を高くすべきだと思うが、そもそも消費税のシステムを設計する専門家が、1000万円以上の車を買えるレベルの生活をしているので、自分たちに都合の悪いシステムにするはずがない。

止まらない物価高に対し「日本の家計の値上げ許容度も高まってきている」などと発言して批判を浴びた黒田東彦日銀総裁だって、年収は3500万円を超えているらしいから、そりゃあ値上げだって簡単に受け入れられるよな。

消費税をなくすと日本がつぶれるみたいな空気をつくっている経済の専門家もいるけど、そんなことは絶対にない。法人や個人事業主は消費税の納税義務が免除されるケースも多く、消費者がせっせと納めた消費税は、そもそもその半分しか国に入っていない。そのへんは拙書『平等バカ』（扶桑社刊）に詳しく書いたので、ぜひそちらも読んでもらいたいが、いずれにしても日本の経済を牛耳っているのが経済的に恵まれた状況にある専門家たちであるために、どうしたって金持ちに都合のいいシステムがつくられていく。

落選してしまったが、2022年7月の参議院選挙に参政党から立候補した工学博士の武田邦彦は、「議員の年収は国民の平均年収にしろ」と主張していた。確かにそうすれば、平均年収を上げるための策を必死で考えるに違いない。会社の業績が下がれば社員の給料だって下がるのだから、日本が借金だらけである以上、議員の給料を下げるのはまっとうな話である。

考えてみれば議員が自分たちの給料の額を自分たちで決めていること自体がおかしいわけで、なんだかんだいって結局のところ、自分の利権を守ることが最優先の人たちが、いろんなことを自分たちで決めていることに大きな問題があるのだと思う。

ちょっと前に現職議員になりすまし、国会議員用の「JR無料パス」を使って6年間にわたって新幹線にタダ乗りしていたことが発覚し、逮捕された元国会議員がいた。

この「JR無料パス」というのは、全国どこでも新幹線（しかもグリーン車）や寝台車が乗り放題という国会議員の特権の一つである。以前はこれを使って不倫旅行していたのがバレたバカ議員もいたが、正確な利用状況はJRも衆参両院も把握できていないというとんでもなく管理が杜撰なシロモノである。

仕事として乗るのなら別に問題はないのだから、ちゃんと領収書をもらって実費を請求させるシステムにすれば悪用を防ぐことはできるはずなのに、そうしましょうという話は一向に聞こえてこない。自分たちは悪用などしないと言い張るのかもしれないが、普通の公務員や会社員はもちろん、大学の研究者だって金を使うたびにいちいちめんどうくさい書類を書かされている。秘書が何人もいて事務作業などいくらでも丸投げできるにもかかわらず、議員だけがなぜその手間を免除されるのかといえば、これも自分たちに都合のいいやり方を自分たちで考えたせいである。

こういう普通の国民からすると「非常識」としか思えないことがまかり通っていることに国民がいくら文句を言っても、それを是正する機関もないから、結局はうやむやになって終わってしまう。議会とは独立して議員の待遇を決定する専門機関があれば多少は改善されるだろうが、まあそういう専門家も結局は丸め込まれてしまうのかもしれないけどね。

デタラメな年金制度に未来は託せない

少子高齢化が進み、いよいよ年金の財源が破綻するのも現実味を帯びてきたが、政府はとにかく支給年齢をできるだけ遅らせる選択をさせることで問題の先送りを画策しているようだ。こうなることはもう30年くらい前から目に見えていたのに、中途半端な制度変更を繰り返しながら、2004年には日本の公的年金制度は「100年安心」だなどと豪語していた。しかし、「年金積立金管理運用独立行政法人（GPIF）」が2020年の1～3月期には18兆円近い運用損を計上していたことも明らかになったりして、とてもじゃないが安心とは思えない。

また、日本年金機構のホームページには、2004年の年金制度改正から「マクロ経済スライド」という「賃金や物価の改定率を調整して緩やかに年金の給付水準を調整する仕組み」が導入されたと書かれている。「調整して調整する」というのがよくわからないが、その先の説明を読むと「賃金や物価による改定率から、現役の被保険者の減少と平均余命の伸びに応じて算出した『スライド調整率』を差し引く」とはっきり書いてあるから、要するに減らすということだよな。だったら最初から「差し引く」と言えばいいのに、こういう目くらましのようなことをするのはいつもの国のやり方である。

また、受給開始年齢は「60～75歳」（60～64歳の受給開始は年齢などの条件を満たした場合のみ）となっているが、1か月繰り下げるごとに0・7％増額される。それもあって、受給開始を繰り下げるほうが得だとさかんにアピールしているが、当然それは「長く生きれば」の条件つきで、例えば75歳からの受給開始を選んだ場合、受給累計額が65歳受給開始の場合を上回る分岐点となるのは87歳である。

自分の健康もそうだけど、年金のほうの「健康状態」にも不確定要素が多すぎるのだから、あえて先延ばしすることはかなりのギャンブルだと言っていい。しかも受給額が増えれば税金だって上がるのだから、結果としてたいした得にはならないだろう。

制度が複雑になればなるほど騙されやすくなるけれども、そもそもこの制度自体の先行きがあやういことを勘案すれば、さっさともらっておくに越したことはないと思う。

そういえば、2019年にはさまざまな専門家からなる金融審議会が「老後資金の必要額は2000万円」とする趣旨の報告書を提出して話題になったが、麻生太郎副総理兼金融担当大臣（当時）は「政府の政策スタンスと異なるので正式な報告書としては受け取らない」などと発言し、こっちはこっちで物議を醸していた。公的年金の問題点を突かれたことに腹を立てているのは明らかで、余計なことを言う専門家など求めちゃおらんと言わんばかりだ。

辛口のコメンテーターとして知られる経済学者で同志社大学大学院の浜矩子教授も、「お上のご意向にお飾り的折り紙をつける。そのためにあるのが審議会。アリバイづくりを着実にこなしてもらえばいい。要はそう考えているわけだ」と、『AERA』の巻頭エッセイで批判していた。本当は彼女のようにものを言える専門家がこういう審議会に入るべきだと思うのだけれど、ご意向に沿わないのは明らかだから審議委員に選ばれることはないのだろう。

選挙権をもつ一人ひとりが政治の専門家

政治というのは政治家がするものだと思っている人がいるかもしれないが、実際には国民の供託を受けてやっているわけで、彼らは別に政治の専門家ではないし、そのための資格を有しているわけでもない。本来的なことを言えば、政治の専門家など存在しないわけで、言い方を変えるなら選挙権をもっている国民一人ひとりが政治の専門家なのである。

そういう意味では、今の政治を大きく変える力を一人ひとりがもっているとも言えるのだが、なぜかこの国の人たちは「政治が変わること」に不安を覚える傾向が強い。今の生活に不満があり、未来の生活にも不安があるにもかかわらず、政治が変わるともっとひどいことが起きるのではないかと思っている人が驚くほど多いのだ。変化うんぬんより、みんなと一緒であることのほうに安心感を覚える人たちは、みんな一緒に貧乏になるならそれでもいいと考える。

「みんな仲良く平等に」というアホみたいな教育を受けてきたせいで、ひどいシステムを改良することに情熱を傾けるより、ひどいシステムでもみんなで一緒に耐えるほうが精神的にもラクなのだろう。こういう思考パターンから脱しない限り、国は衰退していくほかはない。

また、多党化が進むと政治が混乱して大変なことが起こるというのは完全な思い込みで、国というのはそんなにやわではない。ちゃんとレジリエンス（回復力）を有しているので、多少混乱したところで、社会がひっくり返るようなことはありえない。

自民党は「決める政治が大事」だと言い張っていて、それを信じ込んでいる人もいるけれど、それは単に政権政党の都合である。どんなに「決められない政治」になったとしても、予算は絶対に決まるのだから、それさえ決まればあとの法律なんかはなかなか決まらなくたって別に大きな問題ではない。

しかも新しい法律のほとんどは自分たちが利権を得るために決めているだけなのだから、決まらないほうがむしろいいことだってたくさんある。いろんな党が入り乱れると、政権はやりずらいだろうけど暴走は止めることができる。政権の暴走は独裁政治と同じなのだから、このまま自民圧勝で「変わらないこと」のほうがよほど危険だと思う。

ただ、2022年7月の参議院選挙は、わずかながら変化が表れたような気もしている。投票率も少し上がって50％を超え、結果的には自民党が大勝したように見えるけれど、その内容を見ると圧勝とまでは言えないと思う。比例でも1議席を失っているし、得票率も下がっている。小選挙区の場合は、当選か落選かで二分されるので、自民党が勝ったように見えるけれど、得票数が拮抗していた選挙区はいくつもあった。

やはり、投票率が上がれば多党化が進む流れになるのは間違いなく、もう少し政治への関心が増して、多くの人たちが各政党の政策をきちんと理解したうえで投票するようになれば、新たな局面が生まれるかもしれない。

国民が〝ゆでガエル状態〟を脱しない限り、日本の凋落は止まらない

出版社の人の話によると、世の中の人が信じ込んでいることに異を唱える内容の本は軒並み売れ行きがいいそうだ。私が書いた『SDGsの大嘘』（宝島新書）も私の

本としてはおかげさまでよく売れているのだが、それはきっと世の中で当たり前のように繰り広げられるキャンペーンに違和感を抱いている人が実はかなりたくさんいるということの表れなのだと思う。

そうやって一般的な風向きが変なのかもしれないと感じられる人は、いろんな本を読んでたくさん知識を身につけているのに対し、マスコミに飼い慣らされた専門家の言うことをテレビなどで聞いて信じ込んでいるタイプの人はあまり本を買わないらしい。情報を精査できる人と、与えられるがままに受け入れる人の間の格差はどんどん広がっていくのだろう。

ただし問題は、前者は後者に比べ、まだまだ圧倒的に数が少ないということだ。本が相当売れたといっても多くは10万部止まりだから、テレビの視聴者数と比べたら微々たる数字である。

本を読む習慣のない人に本を読んでもらうのは大変で、本を読んでいるといっても大方の人はハウツー本しか読まない。SNSを利用する人は多いが、SNSというツールは自分が気に入った情報だけを選択的に集めやすく、全体としては多様性が高くても個人の脳内の多様性を高めるのにはあまり寄与しない。やはり大新聞やテレビのキー局のようなマスコミが喫緊の問題となっている政策の当否について賛否両論のディベート番組を組んだりするのが国民の政治リテラシーを高めるには有効だ。視聴率が高ければスポンサーもつくのでこの方法がいちばんいいが、多くのマスコミが政権に忖度をしている現状では勇気のあるメディアはなかなか現れない。

結局は、国民がこうした環境に慣れきってしまって、気づいたときには致命的なダメージを受けている、いわゆる〝ゆでガエル状態〟になっている限り、日本の凋落は止まらないだろう。マスコミが変われば国民は変わるが、国民が変わらなければマスコミは変わらない。

卵が先かニワトリが先かって話だけれど、何かのきっかけでどちらも変わることを期待したい。しかし、きっかけは大災害とか大不況の可能性が高く、そうなるとこれもいい未来じゃないいな。さて、どうしたものか。

あとがき

時々、政治や経済について意見を述べると、素人は口出しをするな、といった反応が結構多くてびっくりする。専門家ではない素人の言うことをハナから無視するのは、バカ丸出しの権威主義であって、こういう人たちから、私の意見がなぜ間違っているのかを論理整合的に説明されたことはない。

そもそも、政治や経済の専門家というのは存在するのだろうか。

もし存在するとして、これらの専門家の意見に従って、政府が政治や経済政策を遂行した結果、ここまで日本が衰退したのであれば、これらの専門家が間違ったアドバイスをしたからではないか。そんな専門家なら素人のほうがずっとましである。

もともと専門家というのは、ある分野について深く追究した人のことで、それで糊口をしのいでいるかどうかとは無関係なのだが、何らかの研究機関に所属していない人は、よほどの業績がないと専門家として処遇されるのは難しい。

一方、例えば、大学の生物学教室の教授や准教授であれば、それだけで、世間一般からは生物学の専門家として処遇されるだろう。もちろん専門家といえども、精通している分野はごく狭いことが多いし、知識量もピンキリだけれども、一般の人はそんなことはわからない。

行政がある政策の正当性をアピールするときの後ろ盾は二つあって、一つはその政策を選挙の争点に掲げて勝利することであり、もう一つは専門家のお墨付きをもらうことである。選挙は行政に有利なプロパガンダはできても、有権者の判断を曲げることはできないので、とりあえず公正である。それでは、専門家のお墨付きのほうはどうかというと、これはかなり怪しい。一応、審議会とか委員会とかがあって、そこに諮るのが普通であるが、審議会などが整備されていない自治体では、専門家に個別に意見を聞くこともある。

その際、なるべく行政寄りの専門家の意見を聞くとか、あるいは審議会メンバーの構成を行政寄りの委員で固めるように図るとかして、専門家の審議の結果、この政策を遂行するに当たって瑕疵はありません、という結論にしたいわけだ。ある分野の専門家はたくさんいるので、行政が自分たちに有利な意見を言う専門家を選ぶことが可能なのだ。

例えば、山野を大規模に開発したいというときに、自然環境の専門家に意見を聞くと、大方は自然保護の観点から開発は好ましくないと言われるに決まっている。そこで、自然環境の保全や生物多様性に詳しくない生物学者を選んで、行政が適当な説明をして丸め込んでしまうといったことはよくある。

これはペテンに近いが、一般の人は生物学の専門家と聞けば、自然環境にも詳しいだろうと思うわけで、専門家のお墨付きなるものも当てにならないのである。

さらに問題なのは、利権が深く絡む分野は、専門家の多くは利権に取り込まれているので、科学的中立からは程遠い立場にあることだ。

例えば、CO_2の排出が地球温暖化の主因だとする「人為的地球温暖化」論者の科学者は、この理論が正しいという前提の研究をすることにより、職を得て研究費をもらっているので、途中から、この理論は間違っているようだと気づいても、もはや後戻りすることが不可能なのだ。自分の本心を偽るか、人為的地球温暖化に反するエビデンスを無視して、人為的地球温暖化論に与して生きるしか術がなくなるのだ。

もっと重症なのは医療の分野で、多くの医者は製薬会社からさまざまな利益供与を受けていることが多いので、薬の副作用についても、患者にあまり説明せずに、例えば降圧剤などをやみくもに処方している医者も多い。

多くの医者は、本人に自覚がない高血圧に関しては、降圧剤は処方しないほうがQOLを良好に保てることはわかっていると思う（わかっていない医者はよほどのヤブだ）。しかし、日本高血圧学会という医者の利権団体が、高血圧には降圧剤を使うのが正しいという姿勢なので、後ろめたさをあまり感じることなく、降圧剤を処方してお金を儲けるという誘惑に勝てないのである。

日本の医療で最も悲惨なのは、従業員の健康診断を企業に義務付けていることだ。健康診断もがん検診も死亡率を下げられないことは、外国での数度のくじ引き検査の結果、はっきりしたエビデンスがある。したがって欧米では、健康診断を義務付けている国はない。

がん検診も廃止の方向に向かっている。例えば、アメリカでは前立腺がんの検診はやめたほうがいいと政府の公的機関が表明しているし、肺がんも、検診したほうが肺がん死亡や総死亡数が増えることがわかり、欧米では行っていない。

ひとり日本だけが、何の根拠もないのに健康診断とがん検診をむやみに推奨している。日本では、ほとんどの医療従事者は健康診断やがん検診は有効だと信じ込まされているので、無理もないと思うが、無効だということを知っていて、業界の利権のために健康診断やがん検診を推進している専門家の罪は重い。

ちなみに私はもう20年近く健康診断もがん検診も受けていない。

2022年8月　ヒグラシが鳴く高尾の寓居にて

池田清彦

池田清彦《いけだ きよひこ》
1947年、東京都生まれ。生物学者。東京教育大学理学部生物学科卒、東京都立大学大学院理学研究科博士課程生物学専攻単位取得満期退学、理学博士。山梨大学教育人間科学部教授、早稲田大学国際教養学部教授を経て、現在、早稲田大学名誉教授、山梨大学名誉教授。高尾599ミュージアムの名誉館長。生物学分野のほか、科学哲学、環境問題、生き方論など、幅広い分野に関する著書がある。フジテレビ系『ホンマでっか!?TV』などテレビ、新聞、雑誌などでも活躍中。著書に『騙されない老後』『平等バカ』（ともに扶桑社新書）、『SDG s の大嘘』『バカの厄災』（ともに宝島社新書）、『病院に行かない生き方』（PHP新書）、『年寄りは本気だ：はみ出し日本論』（共著、新潮選書）など多数。また、『まぐまぐ』でメルマガ『池田清彦のやせ我慢日記』を月２回、第２・第４金曜日に配信中。『池田清彦の森羅万象』をYouTubeとVoicyで配信中。

編集協力／熊本りか
装丁・DTP／小田光美

扶桑社新書 442

専門家の大罪
ウソの情報が蔓延する日本の病巣

発行日 2022年9月1日　初版第1刷発行

著　　者………池田清彦
発 行 者………小池英彦
発 行 所………株式会社 扶桑社
〒105-8070
東京都港区芝浦1-1-1 浜松町ビルディング
電話 03-6368-8870（編集）
03-6368-8891（郵便室）
www.fusosha.co.jp

印刷・製本………中央精版印刷株式会社

Printed in Japan　ISBN978-4-594-09258-0